JARDIN DES HERBES AROMATIQUES
BUREAU DU RECTEUR
TOUR DU NORD
RÉFECTOIRE
AMPHITHÉÂTRE
RAXFORD
ESCALIER DES CARTES DE GÉOGRAPHIE
RAXFORD

Bienvenue
dans le monde des

Ce livre appartient à:

Oui, Téa Stilton, la sœur de *Geronimo Stilton*! Je suis envoyée spéciale de *l'Écho du rongeur*, le journal le plus célèbre de l'île des Souris. J'adore les voyages et l'aventure, et j'aime rencontrer des gens du monde entier !

C'est à Raxford, le collège dont je suis diplômée et où l'on m'a invitée à donner des cours, que j'ai rencontré cinq filles très spéciales : Colette, Nicky, Paméla, Paulina et Violet. Dès le premier instant, elles se sont liées d'une véritable amitié. Et elles ont tant d'affection pour moi qu'elles ont décidé de baptiser leur groupe de mon nom : Téa Sisters (en anglais, cela signifie les « Sœurs Téa »)! Ce fut une grande émotion pour moi. Et c'est pour ça que j'ai décidé de raconter leurs aventures. Les assourissantes aventures des...

Prénom : Nicky
Surnom : Nic
Origine : Océanie (Australie)
Rêve : s'occuper d'écologie !
Passions : les grands espaces et la nature !
Qualités : elle est toujours de bonne humeur…
Il suffit qu'elle soit en plein air !
Défauts : elle ne tient pas en place !
Secret : elle est claustrophobe,
elle ne supporte pas d'être
dans un espace clos !

Nicky

Nicky

Colette

Prénom : Colette

Surnom : Coco

Origine : Europe (France)

Rêve : elle fait très attention à son look. D'ailleurs, son grand rêve, c'est de devenir journaliste de mode !

Passions : elle a une vraie passion pour la couleur rose !

Qualités : elle est très entreprenante et aime aider les autres !

Défauts : elle est toujours en retard !

Secret : pour se détendre, il lui suffit de se faire un shampoing et un brushing, ou bien d'aller passer un moment chez la manucure !

Colette

Prénom : Violet
Surnom : Vivi
Origine : Asie (Chine)

Violet

Rêve : devenir une grande violoniste !

Passions : étudier. C'est une véritable intellectuelle !

Qualités : elle est très précise et aime toujours découvrir de nouvelles choses.

Défauts : elle est un peu susceptible et ne supporte pas qu'on se moque d'elle. Quand elle n'a pas assez dormi, elle n'arrive plus à se concentrer !

Secret : pour se détendre, elle écoute de la musique classique et boit du thé vert parfumé aux fruits.

Prénom : Paulina

Surnom : Pilla

Origine : Amérique du Sud (Pérou)

Rêve : devenir scientifique !

Passions : elle aime voyager et rencontrer des gens de tous les pays. Elle adore sa petite sœur Maria.

Qualités : elle est très altruiste !

Défauts : elle est un peu timide… et un peu brouillonne.

Secret : les ordinateurs n'ont pas de secret pour elle. Elle est capable de résoudre des énigmes très compliquées en récoltant mille informations sur Internet !

PAULINA

Prénom : Paméla

Surnom : Pam

Origine : Afrique (Tanzanie)

Rêve : devenir journaliste sportive ou mécanicienne automobile !

Passions : la pizza, la pizza et encore la pizza ! Elle en mangerait même au petit déjeuner !

Qualités : elle a beau avoir des manières un peu brusques, elle est la pacifiste du groupe ! Elle ne supporte ni les disputes ni les discussions.

Défauts : elle est très impulsive !

Secret : donnez-lui un tournevis et une clef anglaise, et elle résoudra tous vos problèmes de mécanique !

Paméla

Paméla

VEUX-TU ÊTRE UNE TÉA SISTER ?

Prénom : _ _ _ _ _ _ _ _ _

Surnom : _ _ _ _ _ _ _ _ _

Origine : _ _ _ _ _ _ _ _ _ _ _ _ _ _ _ _ _ _ _

Rêve : _ _ _ _ _ _ _ _ _ _ _ _ _ _ _ _
_ _
_ _

Passions : _ _ _ _ _ _ _ _ _ _ _ _ _ _ _ _ _ _

Qualités : _ _ _ _ _ _ _ _ _ _ _ _ _ _ _ _ _ _
_ _

Défauts : _ _ _ _ _ _ _ _ _ _ _ _ _ _ _ _ _ _

Secret : _ _ _ _ _ _ _ _ _ _ _ _ _ _ _ _ _ _ _
_ _

ÉCRIS ICI TON PRÉNOM !

COLLE ICI
TA PHOTO !

Texte de Téa Stilton.
*Basé sur une idée originale d'*Elisabetta Dami.
Coordination des textes de Sarah Rossi *(Atlantyca S.p.A.)*.
Coordination éditoriale de Patrizia Puricelli *et* Maria Ballarotti.
Coordination artistique de Flavio Ferron.
Édition de Katja Centomo *et* Francesco Artibani *(Red Whale)*.
Direction éditoriale de Flavia Barelli *et* Mariantonia Cambareri.
Supervision des textes de Caterina Mognato.
Sujet de Caterina Mognato *et* Francesco Artibani.
Graphisme de référence de Manuela Razzi.
Illustrations de Sabrina Ariganello, Jacopo Brandi, Elisa Falcone, Michela Frare, Sonia Matrone, Federico Nardo, Roberta Pierpaoli, Arianna Rea, Arianna Robustelli, Maurizio Roggerone *et* Roberta Tedeschi.
Couleurs de Cinzia Antonielli, Alessandra Bracaglia, Edwin Nori *et* Elena Sanjust.
Couverture de Arianna Rea *(dessins)*, Yoko Ippolitoni *(encrage)* *et* Ketty Formaggio *(couleurs)*.
Graphisme de Paola Cantoni. *Avec la collaboration de* Yuko Egusa.
Traduction de Lili Plumedesouris.

www.geronimostilton.com

Pour l'édition originale :
© 2010, Edizioni Piemme S.p.A. – Corso Como, 15 – 20154 Milan, Italie
sous le titre *Mistero sull'Orient Express*.
International rights © Atlantyca S.p.A. – Via Leopardi, 8 – 20123 Milan, Italie
www.atlantyca.com – contact : foreignrights@atlantyca.it
Pour l'édition française :
© 2012, Albin Michel Jeunesse – 22, rue Huyghens, 75014 Paris
www.albin-michel.fr
Loi n° 49-956 du 16 juillet 1949 sur les publications destinées à la jeunesse
Dépôt légal : premier semestre 2012
Numéro d'édition : 19336/2
Isbn-13 : 978 2 226 24035 4
Imprimé en France en juin 2013 - L65264e par Pollina, S.A.

Téa Stilton

VOL DANS L'ORIENT-EXPRESS

ALBIN MICHEL JEUNESSE

Salut les amis!
VOUS AUSSI, VOUS VOULEZ AIDER LES TÉA SISTERS À ENQUÊTER À BORD DU MYTHIQUE ORIENT-EXPRESS? CE N'EST PAS DIFFICILE. IL SUFFIT DE SUIVRE MES INDICATIONS!
QUAND VOUS VERREZ CETTE LOUPE, FAITES BIEN ATTENTION: C'EST LE SIGNAL QU'UN INDICE IMPORTANT EST CACHÉ DANS LA PAGE.
DE TEMPS EN TEMPS, NOUS FERONS LE POINT, DE MANIÈRE À NE RIEN OUBLIER.
ALORS, VOUS ÊTES PRÊTS?
LE MYSTÈRE VOUS ATTEND!

POUR UNE SIMPLE TEMPÊTE!

Le soleil au couchant teignait le Bosphore de reflets dorés et inondait la terrasse de mon hôtel, en plein cœur de la ville fascinante d'Istanbul, en Turquie. Quelle soirée! Et quel lieu magique! Dire qu'une semaine plus tôt j'étais encore au beau milieu d'une… tempête de NEIGE!

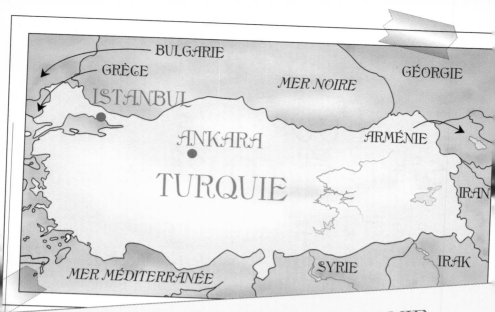

LA RÉPUBLIQUE DE TURQUIE

Istanbul est la plus grande métropole de la République de Turquie, et une ville d'une importance historique, culturelle et commerciale énorme. C'est là que se trouve le palais de Topkapi, qui fut la résidence des sultans turcs pendant près de quatre siècles. Depuis 1924, il est devenu un musée ouvert au public.

J'étais restée bloquée en haute altitude pendant une excursion **AVENTUREUSE** sur les pentes du mont McKinley, en Alaska.

Vous auriez dû voir les gros titres en première page

des **JOURNAUX** de Sourisia : « Téa Stilton portée disparue ! »

Ils exagéraient, puisque j'étais bien au *CHAUD* sous ma tente confortable à l'épreuve des cyclones, avec une belle provision de fromage à tartiner. Mais une chose était sûre : j'allais avoir du mal à rejoindre Paris à temps pour… prendre le train !

En effet, quelques semaines plus tôt, j'avais reçu une invitation spéciale pour un voyage à bord du plus célèbre train du monde : l'**ORIENT-EXPRESS** ! La police de Paris avait retrouvé le légendaire Voile de Lumière, la plus ancienne et la plus précieuse des robes de mariée. Cette pièce exceptionnelle avait été volée dans le musée de Topkapi d'Istanbul il y avait presque un siècle, et depuis, on avait complètement perdu sa trace. Mais le Voile de Lumière allait enfin pouvoir revenir en Turquie, transporté par le train de luxe qui avait relié autrefois l'Europe au lointain Orient.

Mais avec cette tempête de neige, il était évident

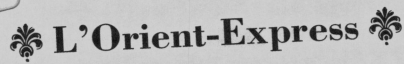

L'Orient-Express

—— Orient-Express (1883-1914, 1919-1939, 1945-1962,
avec liaison maritime en mer Noire jusqu'en 1889)

—— Simplon-Orient-Express (1919-1939, 1945-1962)
puis Direct-Orient-Express (jusqu'en 1977)

—— Arlberg-Orient-Express (1930-1939, 1945-1962)

L'**Orient-Express**, le plus célèbre train du monde, fut pour toute
l'Europe le symbole par excellence du luxe, en particulier sur la
liaison Paris-Istanbul à travers les Balkans. Son premier voyage se fit
en 1883 et, malgré quelques variations de trajet et une interruption lors
des deux guerres mondiales, l'Orient-Express a roulé jusqu'en 1977.
Sa grande période fut celle des années 1920 et 1930, quand ce train
des élégances transportait les artistes, souverains, célébrités mondaines
et même... des espions internationaux !

D'abord appelé **« Train Express d'Orient »**, il ne reliait pas directement Istanbul : pour arriver à destination, il fallait changer plusieurs fois, et même emprunter un ferry. Les compagnies de chemin de fer ajoutèrent par la suite d'autres destinations et de nouvelles voies, comme celles du **Simplon-Orient-Express** et de l'**Arlberg-Orient-Express**.

Le prestige de ce train est resté intact à travers le temps, au point que certaines compagnies privées utilisent encore le nom « Orient-Express » pour désigner leurs trains de luxe à travers l'Europe. L'un d'eux relie chaque jour Paris à Vienne.

Nombreux sont les écrivains, d'**Agatha Christie** à **Graham Greene**, qui ont voulu rendre hommage à ce train spécial en situant leurs histoires dans cet environnement somptueux !

que je ne serais jamais en **FRANCE** à temps !
Et je réfléchis alors à qui pourrait me remplacer…
et qui, qui mieux que les Téa Sisters ?

Grâce à mon téléphone satellitaire, je parvins à me mettre en contact avec le recteur du collège de RAXFORD.

– C'est l'événement de l'année, lui expliquai-je. Il y aura de nombreuses *célébrités* à interviewer… C'est une occasion à ne pas manquer pour nos jeunes *amies* !

Le recteur donna son accord, et ce voyage spécial allait faire vivre aux Téa Sisters une des aventures les plus surprenantes de toute leur vie.

LES ANNÉES FOLLES.

La nouvelle que les Téa Sisters allaient prendre part au voyage spécial de l'Orient-Express mit le collège en **EFFERVESCENCE**. Les filles étaient au centre de toutes les attentions et leurs camarades les **assaillaient** de questions, y compris pendant les cours.

Même Mme Ratinsky, la sévère directrice de la **NOUVELLE** section d'études artistiques, se félicita avec elles de cette **fantastique** occasion. L'idée que certaines de ses élèves voyageraient dans le même train que la grande *danseuse* classique Zelda Mitoff la mettait d'ailleurs elle aussi en émoi.

Colette, Paméla, Nicky, Violet et Paulina, quant

à elles, se sentaient fébriles et très excitées…
d'autant qu'elles n'avaient que peu de temps pour
préparer leur départ!

– Je vais voir Tiger Ratt, le champion de golf, mon
mythe! ne cessait de répéter Nicky, l'ŒIL perdu
dans un rêve. Et je pourrai parler avec lui… Quelle
émotion!

Violet, Pam et Colette, de leur côté, faisaient la liste
de tous leurs camarades qui réclamaient un auto-
graphe d'Angie, la jeune rockstar du moment.

– J'ai lu sur l'invitation que tout le voyage sera en costumes d'époque, fit remarquer Paulina avec un peu d'**appréhension**. Il va falloir nous habiller à la mode des années 1920, mais comment ferons-nous, le **départ** est fixé à demain ?!

Colette s'approcha et tourbillonna autour d'elle en **SOURIANT**.

– Détends-toi, Paulina ! Je me suis occupée de tout ! Tu te rappelles mon amie Julie*? Elle viendra avec une malle entière de robes ! Tu verras, nous serons les cinq *beautés* des années folles !

En entendant le nom de Julie, elles furent toutes rassurées : la meilleure amie de Colette était une excellente styliste, qui leur permettrait de figurer dignement aux côtés de toutes ces célébrités !

– Les années folles ? fit Pam, l'œil amusé. Je nous vois très bien avec un entonnoir sur la tête !

Ses amies éclatèrent de rire, pendant que Violet, avec patience, expliquait :

– Non, Pam ! On les appelle les « **années folles** » parce que c'était une époque où les gens rayon-

* Nous l'avions rencontrée dans *Mystère à Paris, vous vous souvenez ?*

naient d'ENTHOUSIASME et d'énergie... exactement comme toi!

–Ah là là, vivement qu'on y soit! J'en ai tous les
cheveux qui frisent d'impatience, babillait
Colette en prenant Violet par le bras pour sautiller
dans toute la pièce.

Pam tendit la 🐾🐾🐾🐾🐾 vers ses amies
pour qu'elles tapent dans sa paume.

–Les filles, donnez-m'en cinq! Un voyage en
Orient-Express, c'est l'aventure assurée!

LES EXTRAVAGANTES ANNÉES FOLLES

La décennie 1920-1930 est passée à l'histoire comme une période de grande vitalité et de renouveau.

Après la Première Guerre mondiale, la société tout entière renaît et la mode reflète en tout point l'esprit de ces années-là, extravagantes et déchaînées, tournées vers le futur et le progrès. Les vêtements de cette époque furent pensés pour être confortables, et donner une sensation de liberté et de légèreté.

Grâce à de nouveaux procédés industriels, la mode devient à la portée de tous et des textiles nouveaux, comme la rayonne, sont mis en vedette : ils sont à la fois légers, doux, brillants, transparents et… économiques ! Les robes « taille basse » en tissu souple et les jupes sous le genou (considérées alors comme des jupes « courtes » !) caractérisent le style féminin des années 1920, où se généralise aussi le maquillage, à base de mascara épais et de rouge à lèvres écarlate. Mais le vrai symbole des années folles, c'est la coupe de cheveux dite « à la garçonne » car jusque-là seuls les hommes portaient les cheveux courts !

Paris · Vienne · Istanbul

Paris Vienne Budapest Sinaïa Budapest Istanbul

Orient-Express

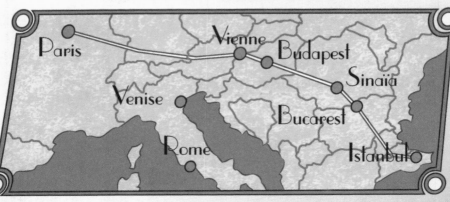

Paris
Vienne
Budapest
Sinaïa
Venise
Bucarest
Rome
Istanbul

Un train qui voyage à travers le temps

Le lendemain, les Téa Sisters montèrent à bord de l'*HYDROGLISSEUR*, direction Sourisia, afin de prendre le vol direct pour Paris.

Le voyage passa *RAPIDEMENT*, et les filles arrivèrent très tôt à la gare de l'Est, la plus ancienne gare de Paris, celle d'où partirait l'**Orient-Express**.

La gare était encore presque déserte !

Le chef de train fixa d'un œil perplexe ces cinq passagères qui arrivaient très en avance. Par ch*nce, un jeune employé en uniforme vint aussitôt se mettre à leur disposition.

– Bonjour, mesdemoiselles ! Je suis Claude, à votre service ! Le train est encore **VIDE**, leur expliqua-t-il.

Mais il ajouta, avec un clin d'œil :

– C'est donc le moment idéal pour le visiter ! **Suivez-moi !**

Il n'était pas courant d'avoir à bord cinq passagères aussi **jeunes** et jolies !

Claude avait des yeux bleus très **VIFS** et circulait avec assurance à travers les couloirs et les wagons du luxueux convoi.

Pour commencer, il les emmena à la voiture-bar, où il leur servit du thé et des croissants CHAUDS.

–On se croirait dans un vrai bistrot d'autrefois! soupira Colette, notant avec satisfaction les petites tables et le piano.

–C'est exactement l'impression recherchée! l'approuva Claude. L'Orient-Express est le seul train capable de voyager... dans le temps!

Puis il les invita à continuer la VISITE et les Téa Sisters le suivirent, admirant les velours et les bois précieux, le cristal et l'argenterie, les toiles finement brodées...

Quand ils eurent parcouru tout le train, Claude s'arrêta devant une porte close et, sous leurs REGARDS étonnés, main posée sur la poignée, lança de brefs coups d'œil à droite et à gauche.

–Je ne devrais pas, mais... pour vous je ferai une exception, chuchota-t-il, et il tira de sa poche une clef, prenant des airs de mystère. Ce wagon a été spécialement conçu comme salon d'apparat pour la précieuse relique, le Voile de Lumière!

–**WAOUH!** s'écria Pam tout à coup, faisant sursauter les cinq autres.

–Chuuuuuuut, Pam! firent en chœur ses amies.
Claude étouffa une envie de RIRE, et les invita à entrer.

L'intérieur du WAGON était plongé dans la pénombre mais, au centre, une châsse en cristal lançait des reflets. Dedans, comme suspendu dans le temps, brillait... le *Voile de Lumière*!

MALIK PEYNIR III

– Que faites-vous ici ? tonna une voix bourrue derrière eux.

Les Téa Sisters, qui admiraient la somptueuse robe de mariée, les yeux ÉCARQUILLÉS d'étonnement, sursautèrent.

Sur le seuil du wagon se tenait un ÉTRANGE petit homme d'âge moyen, un peu enveloppé. Son gilet de soie, ses *fines* moustaches et son élégant nœud papillon lui donnaient des airs de gentilhomme d'un autre temps, en accord avec l'atmosphère à bord de l'**Orient-Express**.

Mais le plus frappant était son regard inquisiteur. Claude s'empressa de présenter le nouveau venu aux cinq amies :

– Monsieur le commissaire Malik Peynir III, officiellement chargé de la **PROTECTION** du Voile de Lumière !

Le commissaire ne se laissa pas distraire par les manières flatteuses du garçon et exigea que tout le monde **sorte** immédiatement.

– Interdiction d'approcher cette vitrine ! ordonna-t-il.

Les filles reculèrent instantanément.

Nicky, *timidement*, s'adressa à lui :

– Veuillez nous excuser, commissaire. Nous sommes des élèves du collège de RAXFORD et nous remplaçons Téa Stilton, empêchée de faire ce voyage…

– Je connais déjà l'identité de tous les passagers, la coupa Peynir d'un ton sec.

Puis, lançant à Claude un regard sévère :

– Et aucune de ces passagères ne devrait se trouver dans ce wagon.

Claude, mortifié, s'empressa d'entraîner les Téa Sisters vers la sortie.

– Le commissaire Peynir est un as dans sa partie! leur expliqua-t-il. C'est lui qui a retrouvé le Voile de Lumière, après des années et des années de **RECHERCHE**. Et la **menace** du Voleur Acrobate l'inquiète beaucoup…

– Le Voleur Acrobate?! répéta Paulina, intriguée.

Mais avant qu'elle puisse demander des détails, Claude ouvrait déjà successivement trois portes.

– Et voilà vos cabines! Deux doubles et une simple, toutes **communicantes**!

Puis il s'éloigna, laissant les filles admirer leurs cabines: elles étaient vraiment luxueuses!

Colette et Pam prirent la première, tandis que Nicky et Paulina s'installaient dans la deuxième et que Violet choisissait la cabine individuelle.

Quelques instants après, Claude réapparaissait.

– *Vous avez de la visite!*

Et l'on vit surgir tout à coup une tête aux cheveux blonds coupés au carré.

 Pourquoi le commissaire Peynir ne veut-il pas que les Téa Sisters s'approchent du Voile de Lumière?

—Julie! s'exclamèrent aussitôt les Téa Sisters en chœur.

—Les filles!!! s'écria celle-ci, rayonnante.

La cabine s'emplit alors du bruit des bises et du babillage des amies, heureuses de se retrouver.

SMACK! SMACK! SMACK! SMACK!

JULiE, TU ES LA MEiLLEURE!

—Quelle chance vous avez! s'écria Julie en lançant autour d'elle des regards admiratifs. Un voyage en costume d'époque dans l'**Orient-Express**!... Quel RÊVE!

Pendant ce temps, un porteur avait poussé une grosse malle à l'intérieur de la cabine. Julie se mit à genoux et souleva le couvercle dans un geste **SOLENNEL**.

—Et pour que le rêve soit parfait... *voilà!*

Les Téa Sisters se rassemblèrent autour de la malle.

—Nos robes! s'exclama Colette en tapant des mains, tout excitée.

La malle contenait en effet les robes que Julie avait choisies pour elle, dans le style des années 1920.

– DIS DONC, MA SŒUR, tu as dévalisé le musée de la mode ? commenta Pam, qui s'amusait à tourner entre ses doigts un chapeau à voilette comme si c'était un objet totalement inconnu.

– Hé, hé, hé ! fit Julie avec un petit sourire de satisfaction. Coco ne vous l'a pas dit ? Je travaille à mi-temps au THÉÂTRE DE L'OLYMPIA, comme assistante costumes ! Ce sont des costumes de scène, que mon chef a accepté de me prêter, à condition que vous en preniez le plus grand soin. Mais j'ai totalement confiance en vous !

En moins de temps qu'il n'en faut pour le dire, les cabines des Téa Sisters devinrent un atelier de mode, où les filles improvisèrent un JOYEUX défilé.

Après bon nombre d'essayages, chacune choisit la tenue qui lui plaisait le plus.

Violet passa une simple robe-tunique mauve, avec un élégant drapé sur les hanches.

Pam enfila un pantalon très **original**, qui lui arrivait en dessous du genou : on l'aurait cru fait pour elle !

Paulina opta pour une robe orange à JUPE plissée et à la ligne sportive. Nicky jeta son dévolu sur une tenue d'écuyère. Quant à Colette… elle fut bien sûr incapable de résister à une jolie robe rose garnie d'une *étole* !

– Coco, tu es superbe mais tu as l'air d'une meringue sortie du four ! commenta Pam en riant.

Un BROUHAHA de voix venant du quai les interrompit soudain. Les filles se penchèrent à la fenêtre, curieuses. Que se passait-il ?!

CINQ OU SIX?

Elles identifièrent aussitôt la cause de tout ce tapage : les célébrités invitées pour le voyage arrivaient, suivies par une foule d'admirateurs ENTHOUSIASTES.

–TIGER RATT et ANGIE ! Le couple du moment ! cria Julie, tout émue.

Suivait une autre personnalité qui s'ouvrait un ▬▬▬▬▬ triomphal dans la foule, sous les applaudissements.

–*C'EST ELLE !* murmura Violet en se précipitant pour descendre du train.

Les autres Téa Sisters se regardèrent, interdites.

–Hein ?! fit Pam, la première à réagir. Qui ça, *elle* ?!

Et elle *COURUT* derrière elle, saisie par la curiosité, aussitôt suivie par ses amies. C'était si rare de voir Violet ainsi EXALTÉE !

Sur le quai, les filles se retrouvèrent au milieu d'une interminable procession de malles et de car-

tons à chapeaux, qu'une petite armée de **PORTEURS** transportait sur d'énormes chariots.

Un jeune homme aux cheveux roux, en costume blanc, comptait un à un les bagages, tandis qu'on les chargeait dans le train.

–Tout va bien, Dimitri? lui demanda soudain une voix flûtée, et les cinq filles se tournèrent en même temps dans la même DIRECTION.

C'était la voix de… Zelda Mitoff!

La célèbre danseuse était toute menue, mais avec une allure si royale qu'elle en imposait, et paraissait plus grande. Elle portait une précieuse cape de velours or sur une robe longue, qui formait une traîne élégante.

–Cinq malles et douze cartons à chapeau! répondit promptement Dimitri en esquissant une courbette. Rien ne manque, Madame.

Zelda toucha à peine la main que le jeune homme lui tendait pour l'aider à monter dans le train et disparut à l'intérieur du wagon, laissant derrière elle un sillage de parfum.

–Quelle classe… soupira Violet, fascinée.

Paulina fronça les sourcils, perplexe.

 Pendant que tous étaient distraits par l'arrivée de Zelda Mitoff, seule Paulina a remarqué que les malles sont au nombre de six, et non cinq ! Le secrétaire de la célèbre danseuse se serait-il trompé en les comptant ?!

–Mais… quel DISTRAIT, ce secrétaire! Il y avait six malles, et non cinq!

–Zelda Mitoff passe tout près de nous et toi, tu comptes les malles?! dit Violet, qui battait les paupières, incrédule. Mais tu sais qui elle est? C'est la plus grande danseuse de tous les temps! Un *mythe* de la danse!

–Elle s'est retirée de la scène, je crois, non? demanda Colette, CURIEUSE.

–Oui, confirma Violet. Elle était déjà danseuse étoile quand ma mère était petite. Et pourtant… elle est encore si belle!

–Et Tiger Ratt, la légende du golf, vous l'avez vu? coupa Nicky, les yeux brillants. J'ai hâte de l'interviewer!

–Va donc faire la queue, ma sœur, lui objecta Pam en montrant un petit groupe de journalistes qui se bousculaient pour monter dans le train avec des airs renfrognés. Nous ne sommes pas les seules à vouloir faire des interviews…

À cet instant précis, le sifflet du chef de train avertit les voyageurs qu'il était temps de monter en voiture : l'**Orient-Express** allait partir ! Chacun s'empressa de monter à bord.

EN VOITURE !

Les Téa Sisters dirent au revoir à Julie en lui faisant de grands gestes du bras par les fenêtres du **train**.

– On te racontera tout, promis ! lui crièrent-elles pendant que le convoi s'éloignait *lentement* le long du quai.

Quelques minutes plus tard, elles se rendirent à leur premier rendez-vous officiel dans le cadre du voyage commémoratif : la conférence de presse du commissaire Peynir.

L'austère commissaire s'exprima d'un ton sec mais solennel devant une foule de journalistes *assoiffés* d'information.

– Je rapporterai le Voile de Lumière dans sa patrie, déclara-t-il en s'éclaircissant la voix devant le

micro. Je ne permettrai à personne de l'arracher à la Turquie encore une fois !

– Comment pouvez-vous être sûr que le Voleur Acrobate ne réussira pas à le **voler** ? demanda Pétunia, une des journalistes présentes.

En entendant à nouveau parler du Voleur Acrobate, Paulina se fit plus **ATTENTIVE**.

« Encore lui », murmura-t-elle en son for intérieur.

Peynir eut un sourire **ÉNIGMATIQUE** et répondit à la journaliste :

– Je ne peux évidemment pas révéler les secrets du métier, madame. Je vous garantis cependant que la robe est en sûreté, à l'abri sous une vitre **BLINDÉE** indestructible, que même moi je serais incapable d'ouvrir ! Seul le directeur du musée Topkapi pourra le faire, quand je la lui remettrai.

– Un voyage en Orient-Express qui bénéficie d'une énorme publicité… et un dangereux voleur en circulation… chuchota Nicky aux autres. Le commissaire Peynir va devoir donner le meilleur de lui-même !

Paulina acquiesça et montra l'itinéraire que le train suivrait :

– Nous traverserons six frontières au moins, avec des étapes à Budapest, Sinaïa et Bucarest. Et à chacune de ces étapes la robe sera exposée au public...

– ... ce qui attirera l'attention de bon nombre d'individus MALINTENTIONNÉS ! conclut Colette.

La conférence de presse terminée, les Téa Sisters et les autres passagers se retirèrent dans leur cabine, tandis que l'**Orient-Express** poursuivait à vive allure sa course vers Istanbul.

Les filles se réunirent dans une cabine pour BAVARDER et partager leurs impressions.

– Tout le monde s'attend à une ACTION du Voleur Acrobate, dit aussitôt Violet.

– Oui, Vivi, je l'ai remarqué aussi, commenta Paulina, qui allumait son ordinateur portable pour chercher des informations.

– Si nous voulons être à la hauteur de Téa, nous devons ouvrir l'œil sur tout ! ajouta Pam. Bon... récapitulons ce que nous savons, pendant que Paulina cherche à en savoir plus sur ce voleur équilibriste…

– *Acrobate*, Pam, le Voleur Acrobate ! corrigea Colette en RIANT.

Et elle ajouta :

– De mon côté, j'ai fait quelques recherches avant de *PARTIR* et j'ai découvert que le Voile de Lumière avait été un cadeau du sultan Mustafa Shah à sa fille préférée, Siren. C'est une robe en soie TISSÉE de fils d'or pur, et ornée de perles et de diamants.

Elle était si brillante et vaporeuse qu'on aurait dit un voile tissé de lumière. D'où son nom…

– Ah, ça y est, quelques informations ! dit alors Paulina, qui avait poursuivi pendant ce temps ses recherches sur Internet. Oh, oh… fit-elle bientôt en passant d'un site à l'autre pour comparer les informations, l'histoire a l'air un peu compliquée… Le Voile de Lumière était une des pièces les plus précieuses conservées au musée de Topkapi. En 1922, la nuit du jour de l'an, le célèbre voleur Ratamouche parvint à tromper les gardiens en se glissant par une lucarne percée dans le plafond, et à la dérober !

– Nom d'un petit boulon ! s'exclama Pam, abasourdie. Et il a réussi, au nez et à la barbe de tous les systèmes de sécurité ?!

Paulina acquiesça, tout en continuant de lire :

– Personne n'a jamais su comment il avait mené à bien une telle entreprise, dans un MUSÉE qui pullulait de gardiens ! Le vol suscita un grand

ÉMOI, et le nom de Ratamouche
devint célèbre dans le monde entier…
– C'est lui, le Voleur Acrobate ?
– Non, Vivi, répondit Paulina. Et
c'est justement là que l'*histoire*
devient intéressante ! Écoutez
plutôt…

DOUBLE DÉFI SUR L'ORIENT-EXPRESS !

Les filles étaient suspendues aux lèvres de Paulina.

– Et devinez un peu qui était le commissaire qui passa toute sa vie à essayer d'*ATTRAPER* le voleur Ratamouche pour récupérer le Voile de Lumière ? poursuivit-elle en prenant des airs mystérieux... C'était tout simplement... Malik Peynir Ier, autrement dit le grand-père du commissaire qui a retrouvé la robe et qui voyage en ce moment à bord de ce **train** avec nous... et peut-être aussi le Voleur Acrobate !

– **Pfiouuu !**

sifflèrent à l'unisson

Violet et Nicky, stupéfaites de tant de coïncidences.

– On se croirait dans un **FILM**... commenta Colette. Le petit-fils rapporte au pays la relique précieuse volée du temps où elle était sous la garde de son GRAND-PÈRE !

Paulina secouait la tête.

– Rien ne dit qu'il réussira à la rapporter, malgré tout...

– Ce Voleur **Acrobate** doit être un sacré malin, s'il arrive à inquiéter même le commissaire Peynir ! fit remarquer Pam.

Paulina tapa sur son clavier ce nouveau thème de recherche.

– En effet, dit-elle après quelques instants. Figurez-vous qu'il a même volé au roi des Belges sa Couronne... Et sur sa tête, pendant la cérémonie du couronnement !

– Alors, je vois de qui il s'agit, dit Violet. C'est ce voleur qui a réussi à dérober son Stradivarius* au grand violoniste Ratovius en plein *concert* !

– Et les aiguilles de la célèbre horloge de Big Ben,

* Célèbres violons construits au début du XVIIIe siècle par le luthier italien Antonio Stradivari.

LE STRADIVARIUS VOLÉ !

LE VOLEUR ACROBATE VOLE LA COURONNE DU ROI DES BELGES !

BIG BEN NE DONNERA PLUS L'HEURE À LONDRES !

à Londres ! ajouta Paulina.

– Autrement dit, c'est le *spécialiste* des vols impossibles ! conclut Pam.

Paulina acquiesça :

– Et il a maintenant pris pour cible le Voile de Lumière, **REGARDEZ** !

– « Le Voleur Acrobate lance un *défi* dans une lettre ouverte aux plus grands quotidiens européens, lut Nicky par-dessus l'épaule de Paulina. Il veut surpasser en habileté et en *renommée* le fameux voleur Ratamouche, en parvenant à voler le Voile de Lumière dans un train qui roule ! »

Les *filles* s'approchèrent toutes pour lire la lettre sur l'écran de l'ordinateur.

Violet réfléchissait :

– Et si le Voleur Acrobate était déjà dans le train ?

– Par tous les pistons GRIPPÉS! lâcha Pam, électrisée. Vous vous rendez compte, mes sœurs ? Nous voilà en *pole position*! Le Voleur Acrobate pourrait frapper d'un instant à l'autre !

– Gardons les yeux ouverts, recommanda Paulina. On dit ici que le Voleur Acrobate est un spécialiste du déguisement, ce pourrait donc être n'importe lequel des passagers.

Colette prit son sac à main, arrangea ses cheveux et saisit la poignée de la porte du compartiment, prête à SORTIR.

– Il faut s'y mettre tout de suite, les filles ! déclarat-elle. Nous avons un train entier à inspecter, des dizaines de personnes à rencontrer, des informations précieuses à relever et…

Ses amies la FIXÈRENT, intriguées.

–... de délicieuses tenues à porter! conclut-elle en CLIGNANT de l'œil.

Les Téa Sisters éclatèrent de rire : Colette était vraiment incorrigible!

LA CHASSE
AU VOLEUR.c

Les Téa Sisters décidèrent de commencer la recherche du voleur par le personnel de service et se répartirent les tâches.

Pam se glissa dans les cuisines, où le célèbre chef Charles Fromage régnait sans partage sur le royaume des amuse-gueules et des soufflés.

Pendant qu'il s'affairait autour de ses marmites et de ses poêles fumantes, Pam en profita pour... hum, goûter en avant-première quelques délicieux choux à la crème.

Colette fit la connaissance de Roxanne, la responsable de la boutique du train. En bavardant, les deux filles découvrirent qu'elles collectionnaient toutes deux les bouteilles de parfum miniatures,

FROMAGE, LE CHEF

ROXANNE, LA RESPON-SABLE DE LA BOUTIQUE

et en moins de temps qu'il n'en faut pour le dire…
elles étaient devenues amies !

Paulina et Nicky, quant à elles, firent un tour de
RECONNAISSANCE dans la voiture-bar
et parlèrent avec Fiorenza, une jeune Italienne
piquante, experte en cocktails de fruits mixés.
Violet, de son côté, n'avait pas résisté à l'attraction
du piano qui se trouvait près du bar. Elle s'approcha TIMIDEMENT de l'instrument et tressaillit

FIORENZA,
LA BARMAID

KLAUS, LE PIANISTE

quand Klaus, le pianiste, arriva derrière elle par SURPRISE et… l'invita à jouer avec lui un morceau à quatre mains !

Bref, les Téa Sisters rencontrèrent partout des personnes SYMPATHIQUES, prêtes à répondre à tous leurs désirs et à toutes leurs CURIOSITÉS.

Parvenues à la voiture de queue, cependant, elles se trouvèrent face à un employé incroyablement MASSIF, aux manières désagréables et grossières.

Youssouf (c'était le nom écrit sur son badge) les **TOISA** d'un air soupçonneux.

– On ne passe pas ! intima-t-il, en style télégraphique. Wagon réservé au personnel.

Il n'y eut rien à faire, et les *filles* furent obligées de rebrousser chemin.

– Quel personnage antipathique ! bougonna Pam, agacée.

On aurait dit un chien de garde !

Les autres acquiescèrent d'un air entendu.

 Pam a raison : Youssouf a vraiment l'air d'un chien de garde ! Mais que protège-t-il ainsi ?

Un incident... brûlant !

Le premier dîner sur l'Orient-Express fut, on peut le dire, inoubliable.

Le chef Fromage fit des prouesses, le service fut impeccable et l'*élégance* des passagers digne d'une première à l'Opéra de Paris !

Les Téa Sisters profitèrent de l'occasion pour **OBSERVER** de leur table tous leurs compagnons de voyage.

Zelda Mitoff était la plus fascinante, en dépit de ses manières HAUTAINES. Violet n'arrivait pas à détacher ses yeux d'elle.

– C'est vraiment une grande dame !

Colette était plus intéressée par Tiger et Angie :

– Qu'ils sont mignons ! Ils ont l'air tellement amoureux !

Les journalistes, pendant ce temps, tentaient par tous les moyens d'**APPROCHER** les célèbres invités pour leur arracher un mot ou une déclaration à insérer dans leurs articles. Loin de toute chasse au voleur... ceux-là ne pensaient qu'à la chasse au **scoop** !

Après le dîner, tous passèrent dans la voiture-bar. Tous... sauf Zelda, qui préféra se retirer dans sa cabine. Quelques minutes plus tard, cependant, son secrétaire Dimitri revint, pour demander qu'on apporte à la danseuse une tisane très chaude.

Violet hésitait : elle désirait ardemment interviewer Zelda mais n'avait pas le **COURAGE** de se lancer et de demander un rendez-vous à son secrétaire.

Colette, voyant son amie en difficulté, décida sans tarder d'agir en son nom : elle alla vers Dimitri au comptoir mais ce dernier, à ce moment-là, portant la tisane, se retournait et... **SBAM !...** ils se **HEURTÈRENT** de plein fouet et partirent les quatre fers en l'air !

La tasse se **BRISA**. La tisane bouillante se renversa sur Dimitri, tachant son costume d'un blanc immaculé et lui causant une **BRÛLURE** sur le dos de la main droite.

Colette lui présenta aussitôt ses excuses, pendant que Dimitri, contrarié, se **massait** la main, rouge et gonflée.

– Je suis **DÉSOLÉE** ! dit Colette. Laissez-moi vous soigner !

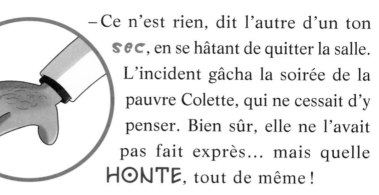

– Ce n'est rien, dit l'autre d'un ton **sec**, en se hâtant de quitter la salle. L'incident gâcha la soirée de la pauvre Colette, qui ne cessait d'y penser. Bien sûr, elle ne l'avait pas fait exprès... mais quelle HONTE, tout de même !

SOUPÇONS
SUR SOUPÇONS...

Le lendemain matin, l'Orient-Express entrait en gare de Budapest, où il s'arrêta pour permettre aux passagers de faire une visite rapide de la ville.

Les premiers à descendre furent Tiger et Angie, qui montèrent, à la sortie de la gare, dans une voiture de course rouge **FEU**.

– Quel spectacle ! criait Pam tout excitée.

Angie et Tiger, cependant, semblaient moins enthousiastes.

Avant de monter en voiture, en effet, la chanteuse, avec une expression *indéchiffrable*, chuchota quelques mots à l'oreille de son compagnon. Puis elle désigna du bras le train arrêté le long du quai comme si elle voulait absolument remonter à son bord, pendant que Tiger secouait la tête avec nervosité.

Quand le commissaire Peynir sortit à son tour sur le trottoir, les deux jeunes gens firent aussitôt silence et montèrent dans la voiture, qui fila plein gaz, DISPARAISSANT à l'horizon.

Les Téa Sisters, qui avaient assisté à la scène, échangèrent un coup d'œil interrogateur : quel comportement bizarre !

Violet attendit longtemps sur le quai l'apparition de Zelda, mais sans succès.

– Approcher Zelda ? Ha, ha, ha, pauvre naïve ! se moqua une voix derrière elle.

C'était Ronda, la journaliste célèbre pour sa rubrique de potins. Avec une moue hautaine, elle insista :

–Depuis qu'elle a quitté la scène, elle ne se laisse approcher par personne…

–Elle a peur qu'on voie ses rides! **Ha, Ha, Ha!** renchérit Pétunia dans un petit ricanement.

Violet devint toute rouge et cherchait comment répliquer pour défendre son idole, quand un vieux journaliste la devança:

–Ne faites pas attention aux **mauvaises** langues, mon petit! lui dit-il en lançant un regard noir à Ronda et Pétunia. Si Zelda n'est pas là, c'est parce qu'elle ne renonce jamais à ses exercices du matin, où qu'elle soit! Elle est encore en grande forme, et elle pourrait remonter sur scène ce soir même!

–Pourquoi ne le fait-elle pas? demanda alors

Violet avec enthousiasme. Ce serait vraiment *fantastique* de pouvoir la voir danser !

Le vieux journaliste soupira avec regret :

– Zelda est encore une grande *danseuse*, mais... plus comme la Zelda d'autrefois ! Et pour elle, c'est la seule comparaison qui vaille.

Violet et le journaliste continuèrent à BAVARDER durant toute l'excursion à Budapest. Et la **surprise** de la jeune fille fut totale, quand elle s'aperçut qu'elle avait conversé tout simplement avec... Eliot Albany, l'ILLUSTRE critique du *Washington Mouse* !

PABLO ET MIMOSA

À la tombée de la nuit, les Téa Sisters revinrent au **train** et découvrirent que deux autres célébrités les avaient rejoints : la riche héritière Mimosa Rattfeller et le peintre espagnol Pablo Tortilla de Cacos. Un couple vraiment bizarre : elle, grande et forte, lui tout MINCE. Mais ce n'étaient pas les seules différences entre eux.

Mimosa était très timide et faisait tout pour ne pas se faire remarquer. Tout le contraire de Pablo, vaniteux, égocentrique et soupe au lait !

Ils étaient amis, mais beaucoup soupçonnaient que leurs sentiments étaient plus profonds... du moins, à en croire ces deux commères de Ronda et Pétunia.

Les Téa Sisters trouvèrent le célèbre peintre en pleine discussion avec le commissaire.

–Mon tableau est un CHEF-D'ŒUVRE, il doit arriver intact au musée de Topkapi ! s'époumonait Pablo. *J'exige* de savoir quel système de sécurité vous avez adopté !

–Il y a sur l'Orient-Express un coffre-fort totalement sûr, répondit Peynir, nullement impressionné par la fougue du peintre. Je vous invite donc à remettre votre tableau au chef de train. Et à ne pas vous AGITER inutilement.

–Le Voleur Acrobate se moque bien des coffres-forts ! rétorqua Pablo. Et je sais qu'il a menacé publiquement de voler le Voile de Lumière !

–Cela n'arrivera pas, répliqua Peynir, qui se rembrunit. Si le Voleur **ACROBATE** monte dans ce train, vous pouvez être certain qu'il n'en descendra que d'une seule manière : menotté !

Les Téa Sisters ne furent pas les seules à assister à cet *échange* entre les deux hommes. Autour d'eux s'était rassemblé, en effet, tout un groupe de journalistes et de membres du personnel.

Colette remarqua tout de suite Dimitri et s'empressa de jeter un œil à sa main droite, pour vérifier son état : elle se sentait encore **COUPABLE** !

La brûlure écarlate était encore très visible, et la pauvre Colette, embarrassée, n'eut pas le courage de saluer le JEUNE secrétaire.

Pendant ce temps, le chef de train s'était avancé pour faire à Pablo une proposition :

– Venez donc voir notre **coffre-fort** ! Vous vérifierez par vous-même la sécurité. Votre tableau ne courra aucun danger !

iNCiDENTS NOCTURNES

Le train fendait la nuit à grande vitesse, filant vers la gare de Sinaïa, au milieu des MONTAGNES de Roumanie.

Les Téa Sisters dormaient profondément.

Minuit venait de passer, quand on entendit soudain un cri dans le couloir :

— Malotru !

La voix perçante de Pablo Tortilla fit bondir les Téa Sisters de leur couchette.

— Que se passe-t-il ? demanda Pam, encore étourdie par ce brusque réveil.

— Mais pourquoi crie-t-il aussi fort ? renchérit Nicky, en ouvrant la porte sur le couloir.

Le peintre, ivre de COLÈRE, hurlait contre Dimitri. Sa violence étouffait les réponses du **JEUNE** homme, qui semblait vouloir s'excuser.

Entre-temps, les portes des autres cabines s'étaient ouvertes à leur tour, et certains passagers tentaient de faire taire le *PEINTRE* furieux.

–Un peu de silence, voyons ! protesta Ronda.

–Nous voulons dormir ! fit Pétunia en écho.

Pablo s'en prit aussitôt à elles et se mit à crier :

–CET INDIVIDU GROSSIER M'A POUSSÉ !

–Je vous demande pardon, murmura Dimitri, l'air ennuyé.

–Aaah ! Et maintenant vous me demandez pardon ? attaqua le peintre, de plus en plus irrité. Alors qu'avant, vous m'avez dit «POUSSE-TOI, LE NAIN»?!

Mais la réaction de Pablo semblait à tous excessive, et plus il criait, moins les autres le croyaient.

Les filles s'apprêtaient à se recoucher, quand un hurlement plus fort que les cris de Pablo les retint net.

– EEEEEEEEEEEEEEEEEEEEEEEEEEEE
EEEEEEEEHHH !

– Qu'y a-t-il ? dit tout à coup le peintre, sursautant
d'effroi.

Ronda désigna le compartiment voisin :

– Le cri venait de là !

– C'est le salon d'apparat, ajouta Pétunia. C'est là
que se trouve le Voile de Lumière !

Tous se **PRÉCIPITÈRENT** dans cette direction, chacun dans sa hâte gênant les autres. Quand enfin ils purent franchir la porte du salon, ce fut pour trouver la voiture plongée dans le **NOIR**, tandis qu'un employé assis par terre tâtait sur sa tête une énorme **bosse** !

– Que s'est-il donc passé ? demanda Eliot Albany, l'un des premiers arrivés.

– Vous vous êtes fait mal ? demanda Paulina, en se penchant avec sollicitude sur le *pauvre* employé.

Celui-ci ne répondit pas, et se contenta d'indiquer la porte du salon, grande ouverte.

Les passagers, un peu EFFRAYÉS, avancèrent la tête pour regarder.

La première chose qu'ils virent, dans l'obscurité presque totale, ce fut la vitrine blindée.

Elle était fermée, mais...

VIDE!

 La vitrine blindée est VIDE! Comment le voleur a-t-il réussi à voler le Voile de Lumière sans la briser?

DE JUSTESSE !

Les hôtes du train restèrent sur le seuil, pétrifiés de surprise et d'**EFFROI**.

Nul ne se hasarda à pénétrer dans le salon avant l'arrivée du commissaire Peynir. Celui-ci balaya la pièce de sa TORCHE électrique et remarqua immédiatement un corps étendu au sol.

C'était Mimosa, et elle était… évanouie !

– MIMI très chère, que t'est-il arrivé ? s'écria Tortilla en la voyant.

Le commissaire lui ordonna, à lui comme aux autres, de ne pas approcher.

– Elle a besoin d'air, leur expliqua-t-il tout en donnant de petites tapes à la malheureuse héritière pour la réveiller.

Mimosa ouvrit les yeux, jeta autour d'elle des regards perdus puis, soudain, se ranima :
– Le voleur ! **LE VOLEUR !** Il est ici, il est ici !
– Calmez-vous, le voleur n'est *plus* ici, la rassura le commissaire. Dites-moi plutôt : vous avez vu son visage ?
Mimosa secoua la tête, DÉSOLÉE.
Eliot Albany et Pablo l'aidèrent à se relever, puis la firent asseoir dans un fauteuil confortable.

Le commissaire, pendant ce temps, examinait la vitrine vide. Brusquement, sans même se retourner, il demanda à Mimosa :

– Dites-moi ce qui s'est passé.

Elle prit une grande inspiration puis raconta :

– Je... hum... j'étais venue récupérer mon éventail. Je l'avais oublié ! Quand je suis entrée, tout était dans le noir, alors j'ai cherché l'interrupteur et ensuite... quelle FRAYEUR !

– Mais qu'avez-vous vu *exactement* ? insista le commissaire en la regardant d'un air pénétrant.

Mimosa déglutit :

– J'ai vu... un vilain bonhomme tout habillé de noir qui s'affairait autour de la vitrine ! J'ai CRIÉ et... et ensuite je me suis évanouie !

– Je dirais que vos cris lui ont fait prendre la fuite, madame, déclara le commissaire.

– C'était le Voleur Acrobate ! s'exclama Pablo.

– Il a volé le Voile de Lumière ! dirent presque à l'unisson Ronda et Pétunia.

Paméla ajouta :

– Mais dans ce cas, il est encore dans le train !
Cherchons-le, vite !
– **DU CALME !** dit alors le commissaire. Nul
besoin de s'agiter. En fait, rien n'a été volé.
Tous le FIXÈRENT bouche bée.

LE «PLAN B»

La première à reprendre ses esprits fut Violet.

– Pourquoi dites-vous que le voleur n'a rien volé, commissaire? demanda-t-elle. La vitrine est vide!

Peynir acquiesça, posant la main sur le verre blindé.

– Elle a *toujours* été VIDE. Ce qui est exposé n'est qu'un hologramme.

– Holo quoi? bredouilla Mimosa, perdue.

Paulina, experte en technologie, ne put s'empêcher d'intervenir:

– Les hologrammes sont des projections si *sophistiquées* qu'elles donnent l'illusion que l'objet est présent, alors qu'il ne s'agit que d'une simple REPRODUCTION!

Puis elle s'approcha de la vitrine.

– Je parie qu'à l'intérieur du piédestal est caché un

LES HOLOGRAMMES

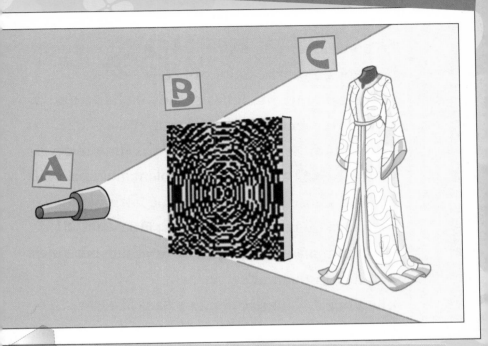

La technique de l'hologramme permet de projeter des images en trois dimensions, qui reproduisent donc exactement les objets, en donnant une impression de profondeur.

Un rayon laser (A) est projeté sur une plaque spéciale (B) sur laquelle a été imprimée la forme de l'objet : la lumière, en traversant cette plaque, projette une image tridimensionnelle (C). L'observateur peut même tourner autour de l'image et la voir par l'arrière, comme s'il s'agissait d'un objet réel !

projecteur à rayon laser qui simulait la présence de la robe…

Le commissaire la **REGARDA** avec étonnement, puis eut un sourire admiratif.

– Exactement, mademoiselle. Sachant que le Voleur Acrobate essaierait de **voLer** le Voile, j'ai décidé d'utiliser cette ruse de l'hologramme pour l'**ARRÊTER** sans danger pour la vraie robe. Mais quelque chose n'a pas fonctionné !

Le visage du commissaire s'était **assombri**.

– Et maintenant, poursuivit-il, le voleur sait que le Voile de Lumière n'est pas ici.

« Le Voile de Lumière doit être dans la dernière voiture ! Celle qui est gardée par le **sympathique** Youssouf ! » pensa Colette. Et elle lança un regard à ses amies : elles avaient toutes eu la même idée.

Mais il se faisait tard, et les passagers se **RETIRÈRENT** bientôt dans leur cabine.

Les Téa Sisters furent les dernières à sortir du salon d'apparat, et Violet entendit un **échange**

Le Voile de Lumière ne se trouvait pas dans le salon d'apparat. Le plan du commissaire Peynir a sauvé l'habit de la tentative de vol. Mais où se trouve vraiment le Voile ?

de phrases à mi-voix entre le chef de train et le
commissaire Peynir.

– Que va-t-on faire, maintenant, commissaire ?
demandait avec **inquiétude** le chef de train.

Peynir le regarda et dit, d'un ton mystérieux :

– Une seule chose : mettre en action le plan **B**...

CHANGEMENT DE PROGRAMME

Le lendemain matin, le train s'**AVENTURA** dans les montagnes qui entouraient la ville de Sinaïa. Le soleil brillait, et un magnifique paysage de forêts, de torrents et de cimes **ENNEIGÉES** accueillit les passagers de l'Orient-Express à leur réveil.

Après les événements tumultueux de la nuit, personne ne voulut petit-déjeuner dans sa cabine, hormis Zelda Mitoff.

Tous préférèrent se rendre au wagon-restaurant de bonne heure, afin d'avoir au plus vite des nouvelles de l'**ENQUÊTE**.

Dimitri fut un des premiers à arriver et Colette remarqua avec soulagement que la brûlure sur le dos de sa main était guérie, mieux, même : elle avait… **DISPARU** !

La brûlure sur le dos de la main de Dimitri a disparu… Est-il possible de guérir aussi vite ?

Elle s'apprêtait à demander au secrétaire comment il avait fait pour guérir aussi **VITE**, quand Paulina la tira par la manche pour lui montrer quelque chose de l'autre côté de la vitre :

– Regarde comme c'est beau !

Venait de surgir, dans le panorama, le **ravissant** château de Peles !

À ce moment-là, le chef de train surgit dans le wagon-restaurant et informa les passagers d'un **changement** de programme.

TRANSYLVANIE

Au cœur de la **Roumanie** se dresse l'imposant massif des Carpate qui forme un décor naturel d'une incroyable beauté : nombre sommets à escalader, hauts plateaux verdoyants, grottes mystérieus creusées au flanc des montagnes.

Le **haut plateau de Transylvanie** s'ouvre au centre de ce cerc magique de très anciennes montagnes.

La Transylvanie est célèbre pour ses châteaux, dont celui qui app tint autrefois au légendaire comte Dracula.

LE CHÂTEAU DE BRAN, CONNU POUR AVOIR ÉTÉ LA DEMEURE DE DRACULA, PERSONNAGE HISTORIQUE QUE LA LÉGENDE A SOUVENT ASSOCIÉ AU MYTHE DES VAMPIRES !

Le **château de Peles** est un des plus beaux et des mieux conservés de toute la région.

Il se dresse au milieu d'une forêt, entouré de montagnes, dans un environnement naturel préservé.

Construit par **Charles de Hohenzollern** (futur roi de Roumanie) à la fin du XIXᵉ siècle, il resta résidence royale d'été jusqu'en 1947.

Un musée y est aujourd'hui aménagé, abritant des tableaux, des sculptures, des meubles de prix et les trésors les plus précieux de l'ancien royaume roumain.

Le château de Peles compte **160 pièces**, qui ont toutes conservé leur mobilier original. Il est dominé par une très haute tour centrale, de près de 66 mètres !

– Nous avons une avarie dans le système de climatisation, annonça-t-il. La remise en état demandera quelques heures. Pour vous épargner ces désagréments, nous **prolongerons** la visite du château de Peles. Vous dînerez donc au château, et vous y passerez la nuit !

Les passagers échangèrent des regards perplexes mais le chef de train ajouta :

– Pour vous rendre l'étape agréable, notre personnel organisera une petite fête dansante. Un **bal** dans le style années folles, évidemment !

Aussitôt éclatèrent des **applaudissements** enthousiastes. Le changement de programme plut beaucoup aux Téa Sisters, mais la version des faits exposée par le chef de train ne les convainquit guère.

– Une **avarie**, tu parles… commenta Violet pendant qu'elles rejoignaient leurs cabines. Vous vous rappelez la discussion d'hier soir ? Il est clair que Peynir ne veut pas de passagers à bord pendant qu'il met en œuvre son « plan B » !

Paméla acquiesça :

– Je le crois aussi. Mais en quoi consistera ce plan B, à votre avis ?

– Nous le saurons ce soir, dit Colette. J'ai toujours RÊVÉ de prendre part à un bal dans un vrai château ! Sans compter que ce sera l'occasion idéale pour OBSERVER les passagers de près…

Elle se dirigea vers la malle de Julie.

– Choisissons nos plus belles robes, les *filles* ! Ce soir, je veux être à tomber !

UN DÎNER
DE ROI

La visite au palais royal de Peles fut véritablement inoubliable.

Les passagers rejoignirent le CHÂTEAU dans l'après-midi, à bord d'*élégantes* voitures à cheval.

Violet et Paulina montèrent avec Colette et Paméla, tandis que Ronda et Pétunia se chamaillèrent pour occuper la seule place restée à côté d'Angie… Elles espéraient lui **ARRACHER** quelque déclaration durant la promenade, mais la chanteuse semblait plutôt **irritée** de l'absence de son fiancé et ne prononça pas un mot de tout le trajet.

Tiger Ratt, en effet, était avec… Nicky!

Tous deux avaient préféré monter deux magnifiques chevaux pie. L'air était **vif** et ils avaient voulu profiter de l'occasion pour faire une belle chevauchée.

Tiger **LANÇA** son cheval dans un galop effréné, et seuls les dons de cavalière de Nicky lui permirent de ne pas rester en arrière.

– J'adore la *sérénité* du golf… remarqua Tiger quand il s'arrêta enfin pour faire souffler l'animal. Mais je ne pourrais pas vivre sans le piquant de l'aventure! L'imprévu, le **frisson**, le danger… ce sont les ingrédients que j'aime, surtout en voyage.

En entendant ces mots, Nicky ne put s'empêcher

de penser : « Tiger est sans aucun doute le passager le plus sportif de l'**Orient-Express**. Et puis, il est constamment en voyage et fréquente des milieux fortunés… Si c'était lui le voleur, il serait sûr de l'avoir, ce petit piquant de l'**AVENTURE** ! »

Mais en une fraction de seconde elle *CHASSA* cette idée de son esprit, se contentant d'acquiescer :

– Certainement, Tiger ! Euh… je veux dire… monsieur Ratt !

Tiger éclata d'un rire **sonore** et invita sa nouvelle amie à le tutoyer.

Ils trottèrent quelques instants l'un près de l'autre tout en BAVARDANT. Et Nicky obtint bien plus qu'une interview : une longue conversation entre AMIS, à cœur ouvert !

Quand ils arrivèrent au château, ils trouvèrent Angie qui attendait Tiger dans le JARDIN. Elle n'avait pas l'air de bonne humeur...

– Presse-toi ! lui dit-elle d'un ton sec. Nous allons être en retard !

Nicky fut étonné de ces manières brutales. Angie était-elle jalouse, ou bien avait-elle PEUR que le champion lui en ait trop dit ?

« Il y a quelque chose qui ne cadre pas... » commenta Nicky pour elle-même. Puis elle courut se rafraîchir et changer de tenue : on n'allait pas tarder à servir le dîner.

Dans la somptueuse salle de réception, le chef de train et le personnel de l'Orient-Express avaient installé un vrai banquet royal. L'ambiance à table fut très vite joyeuse, et même Zelda se mit à converser avec Violet, qui s'était assise à

côté d'elle. Et d'ailleurs, quand la grande ballerine découvrit que la jeune étudiante était la *fille* du fameux chef d'orchestre Chen Lu, elle lui promit aussitôt une interview exclusive !

À la fin du dîner, l'atmosphère était si détendue et si joviale qu'on décida bientôt de donner le signal des danses.

CHARLESTON !
c

L'orchestre se lança aussitôt dans une musique endiablée, des charlestons et des fox-trot, les danses en vogue dans les «années folles».
Les Téa Sisters ne s'étaient jamais autant amusées !

–Une **chance** pour nous, les filles, leur fit remarquer Paulina. Cette fête tombe au bon moment ! Nous allons pouvoir observer les passagers pour tenter de deviner qui est le Voleur **Acrobate** !

–Tu exclus donc qu'il s'agisse d'un membre du personnel ? intervint Pam.

–Non, répondit Paulina. Mais le personnel a beaucoup de travail et peu de temps libre. Tandis que le **voleur** a besoin de pouvoir se déplacer comme il veut.

–Alors, les filles, ouvrons l'**ŒIL** et le bon ! conclut Colette en arrangeant ses cheveux avant de se jeter dans la danse.

Les cinq jeunes **enquêtrices** se mêlèrent aux danseurs, prêtes à saisir chaque détail qui pourrait être utile.

Pablo Tortilla et Angie se lancèrent dans un foxtrot **FRÉNÉTIQUE** : ils semblaient parfaitement accordés ! Paméla eut l'impression que ces deux-là se connaissaient depuis LONGTEMPS.

« Amis ? Ou… complices ? se demandait-elle. Au

fond, ils fréquentent l'un comme l'autre les destinations *mondaines* où le Voleur Acrobate a frappé plusieurs fois…»

Pendant que Pablo dansait, cette pauvre Mimosa, en bordure de piste, faisait tapisserie.

La riche héritière, il faut le dire, portait une robe qui ne lui allait pas du tout, surchargée de bijoux voyants et mal *assortis*.

– Jamais vu quelqu'un avoir aussi peu de goût pour s'habiller, chuchota Colette à l'oreille de Paulina.

– Tu as raison, convint son amie. Portées de cette façon, ses **perles** ont même l'air fausses…

– Elles le sont ! confirma Colette, après s'être appro-chée *DISCRÈTEMENT* de Mimosa pour examiner ses colliers.

– *De fausses perles ?!* reprit Paulina. Pourtant, elle est milliardaire… C'est *BIZARRE*…

Colette prit l'air soupçonneux, comme un vrai détective :

– Sommes-nous sûres qu'elle est *vraiment* milliardaire ? Et si ce n'était qu'une mise en scène pour éloigner d'elle les **soupçons** ?

– Franchement, dit Paulina en riant, je ne la vois pas en Voleur Acrobate !

– Elle non, mais Tortilla ? insista Colette. Il est si vaniteux… Être le voleur lui donnerait de l'**IMPORTANCE** ! Et ils pourraient être complices, tous les deux, ajouta-t-elle d'un air malicieux. Par exemple, hier soir… il distrait l'attention du commissaire et des autres passagers en faisant cette grande **SCÈNE** avec Dimitri pendant qu'elle, elle entre dans le salon pour essayer d'ouvrir la vitrine et subtiliser la robe !

– Oui, mais il y a quelque chose d'étrange : c'est elle qui a donné l'alarme ! objecta Paulina.

– Qu'est-ce que vous complotez toutes les deux ?! intervint Claude. Ne me dites pas que vous avez déjà perdu votre **souffle** !

Et sans même attendre leur réponse, il les **ENTRAÎNA** avec lui sur la piste.

Car on ne se lasse jamais de danser le **charleston** !

LA DANSE DES SUSPECTS

Colette, DÉCHAÎNÉE, s'était lancée dans un solo de pas croisés très rapides, quand elle se retrouva soudain face à Dimitri. Lui non plus n'était pas mauvais danseur !

Le regard de Coco tomba sur la main du JEUNE homme et elle faillit tomber, le souffle *coupé*.

—Repose-toi un instant, lui conseilla Paulina en lui tendant une boisson **FRAÎCHE**. Tu n'as pas arrêté de la soirée !

Colette entraîna son amie sur le côté et lui murmura :

—Regarde la main de Dimitri… il y a toujours la brûlure !

Paulina SOURIT :

—Calme-toi, Coco ! Je suis sûre qu'il t'a pardonnée !

Mais Colette hochait la tête et insistait :

—Ce matin, la *BRÛLURE* avait disparu ! J'étais si contente qu'elle soit guérie, et maintenant… elle est de nouveau là ! Il se serait donc brûlé une seconde fois ? Au même endroit ?!

Paulina se retourna pour REGARDER Dimitri. Il s'en aperçut, et sourit.

—Oups ! Il nous a vues ! sursauta Colette, qui devint toute rouge.

Paulina, embarrassée, tenta de se donner une

La brûlure sur la main de Dimitri a réapparu ! Comment est-ce possible qu'elle ait été guérie le matin et de nouveau rouge le soir ?!

contenance et s'*élança* sur la piste. Colette la suivit à contrecœur, en répétant :

– Mais si la brûlure était guérie, comment peut-elle réapparaître ?…

Mais bien vite, emportée par le rythme et la musique, elle oublia Dimitri et sa brûlure !

La fête au château dura une partie de la nuit et Zelda Mitoff ne rata pas une seule danse. On aurait dit une *jeune fille* !

Violet, admirative, la regarda toute la soirée, jusqu'au moment où un doute s'insinua dans son esprit : « Bien sûr, elle est si **ENTRAÎNÉE** physiquement qu'elle serait encore capable de mille acrobaties… se disait-elle. Et si elle était le voleur ? Au fond, personne n'a dit que le voleur était un homme… »

TROUBLÉE à la pensée que la grande ballerine pût être impliquée dans quelque chose de LOUCHE, Violet se rappela une des précieuses maximes de grand-père Tchen : « La nuit, tous les rats sont gris. »

Et en effet : sans preuves d'aucune sorte, chacun pouvait sembler COUPAbLE !

La nuit était bien avancée quand les filles se retirèrent dans la grande chambre du CHÂTEAU qui leur était attribuée.

– Le Voleur Acrobate pourrait agir à n'importe quel moment, et nous sommes encore en plein BROUILLARD ! nota Violet, découragée.

– Oui… ajouta Paulina. Il pourrait être n'importe lequel des passagers… sans compter qu'il pourrait avoir un complice !

– Pff ! Tu parles d'une conclusion… plaisanta Pam en s'écroulant sur le lit, épuisée.

Mimosa, l'héritière qui porte de fausses perles! Et si elle était ruinée?
L'opération du Voleur Acrobate pourrait lui permettre de redevenir riche!

Pablo, le peintre. Un petit homme vaniteux, qui aime être au centre de l'attention.
En volant le Voile de Lumière, il serait le vrai prodige du voyage!

Zelda, la danseuse mythique. Elle s'entraîne tous les jours et reste enfermée dans sa cabine… Pourquoi?

Le Voleur Acrobate pourrait être n'importe lequel de ces personnages. Et toi, qui désignerais-tu ?

 INDICE !

Tiger, le sportif. L'étoile du golf. Il aime le danger et l'aventure : exactement comme le Voleur Acrobate !

Angie, l'étoile de la musique pop. Jalouse de son Tiger ! Avec Tiger, elle forme un couple parfait… dans les médias, ou dans le crime aussi ?

Dimitri, le secrétaire de Zelda. Il a une drôle de brûlure sur la main : elle guérit trop vite… ou a-t-il un secret ?

– Dimitri et Tortilla sont à exclure, déclara Paulina. Pendant la première tentative de vol, ils étaient tous les deux dans le couloir en train de se **disputer** !

– À moins que… la dispute ne fasse partie du plan ! objecta Nicky.

Colette, qui enlevait ses chaussures, soupira :

– Ouh là là ! Je suis trop fatiguée pour réfléchir, les filles… et demain, on repart !

– Tu as raison, Coco, fit Violet en écho. Ce qu'il nous faut, c'est une bonne nuit de sommeil ! Nous reprendrons l'enquête demain !

LE TABLEAU DISPARU

Le lendemain matin, tous les passagers REMONTÈRENT dans le train et le chef leur annonça que, pour récupérer le temps perdu, il se voyait contraint de SAUTER l'étape prévue à Bucarest.

Les Téa Sisters se préparèrent à reprendre l'enquête sur leurs compagnons de VOYAGE, plus décidées que jamais à résoudre le mystère du Voleur Acrobate.

Dès qu'elles entrèrent dans la voiture-bar, Colette lança un coup d'œil **inquiet** vers la main de Dimitri : elle était encore rouge et enflammée !

«J'ai dû rêver, hier… pensa-t-elle, à la fois contrariée et rassurée de voir la brûlure familière sur la main du secrétaire de Zelda. Pourtant, poursuivit-elle intérieurement, j'en suis sûre : hier matin, elle était guérie ! »

Ce fut alors que le chef de train fit **IRRUPTION** dans le wagon avec une nouvelle bouleversante :

– On a volé le tableau de monsieur Tortilla de Cacos !

– **QUooooi ???** tonna Pablo, qui vacilla un instant et s'écroula entre les bras de Mimosa, *PÂLE* comme un linge. Mais il se reprit aussitôt et d'un bond s'*ÉLANÇA* hors de la voiture.

Tous le suivirent, intrigués. Les journalistes,

en particulier, n'auraient pour rien au monde laissé échapper l'occasion de recueillir à *CHAUD* les impressions du peintre après le vol du tableau !

Après une *COURSE* à travers les couloirs du train, tout le monde s'entassa dans le dépôt du chef de train : le coffre-fort était ouvert, et pas un *bijou* ne manquait. Seul le tableau avait disparu !

– Je vous l'avais dit ! Il ne fallait pas le perdre de vue ! *braillait* le peintre. Les voleurs savent reconnaître les œuvres de valeur !

Le commissaire était blême : pour lui, ce vol était un vrai *COUP* bas !

– J'ai concentré mon attention sur le Voile de Lumière, marmonnait-il comme pour lui-même, et le voleur en a profité pour ouvrir le **COFFRE-FORT** !

– Pourtant, le tableau est encore dans le train ! hasarda Violet en s'interposant dans ses réflexions.

Il la fixa, surpris.

– Qu'avez-vous dit, *mademoiselle* ?

– Quand nous sommes remontés à bord ce matin,

le tableau était à sa place, observa Violet. Sinon, le chef de train aurait remarqué son absence quand il a remis les bijoux dans le coffre-fort. Depuis, le train ne s'est pas arrêté, et par conséquent…

– … Par conséquent le voleur est encore à bord et le TABLEAU avec lui ! conclut Pam.

– C'est juste ! confirma le commissaire, soulagé. Personne ne peut descendre du train pendant qu'il ROULE sans déclencher le système qui contrôle l'ouverture des portes !

– Il existe donc un système aussi sophistiqué sur l'**Orient-Express** ? s'étonna Paulina.

– Le train est la reproduction *fidèle* de l'original, expliqua Peynir. Mais il est équipé de systèmes de sécurité très modernes, parfaitement **camouflés** !

Puis le commissaire invita tous les passagers à se rassembler dans la voiture-bar. Chacun devait dire ce qu'il avait fait depuis le **départ** du train jusqu'à la découverte du vol. Si le tableau était encore à bord... il le trouverait !

L'ALIBI

Après avoir recueilli tous les témoignages, le commissaire s'éclaircit la voix et communiqua les résultats de l'enquête :

– À ce qu'il semble, commença-t-il d'un ton SOLENNEL, au moment du vol, tous les passagers ont été vus dans des lieux relativement **éloignés** du coffre-fort. Tous, sauf…

Les présents retinrent leur souffle, sans quitter des **YEUX** le commissaire qui, après une courte pause, termina sa phrase :

– … sauf vous, mademoiselle Rattfeller !

Tous se retournèrent, incrédules, vers l'héritière qui tâchait de se faire toute petite.

Mimosa rougit violemment et bafouilla :

–J-je suis restée dans ma cabine pour me reposer. À un moment, je suis sortie… et je me suis COGNÉE contre monsieur Dimitri ! Je lui ai marché sur le pied, n'est-ce pas, monsieur Dimitri ?

– Absurde ! éclata Zelda, d'un ton sans réplique. Mon secrétaire est resté tout le temps avec moi ! J'étais en train de lui dicter mon auto-biographie !

Le menton de Mimosa trembla. L'héritière mar-monna quelques phrases confuses puis se tut.

Le tableau de Pablo Tortilla a disparu, mais celui qui l'a pris ne l'a pas bien caché… car il se trouve précisément dans la voiture où se tiennent à présent les passagers ! Sauras-tu le dénicher ?

La solution est dans le Journal à dix pattes, p. 212-213.

Le commissaire Peynir semblait perplexe.

—Mademoiselle Rattfeller, finit-il par dire, votre **alibi** ne tient pas, et mon devoir est d'approfondir l'enquête. Je vais être obligé de perquisitionner votre cabine ! Veuillez m'accompagner.

Quand ils se furent éloignés, Pam commenta, incrédule :

—Ce n'est pas possible ! Mimosa Rattfeller, une voleuse ? Absurde !

Nicky était d'accord :

—En effet ! Je n'arrive vraiment pas à l'imaginer se glissant en cachette dans la cabine du chef de train pour forcer le coffre-fort !

—Je pense comme vous, leur accorda Violet. Pourtant... elle a dit s'être heurtée à Dimitri en sortant de sa cabine. Or celui-ci était avec Zelda, il ne pouvait pas se trouver au même moment dans deux endroits différents !

Nicky acquiesça :

—**EXACT !** Quoique...

—Quoique ?... demanda Colette, toujours sur des

charbons ardents quand on parlait de Dimitri.

–Ce matin, j'étais en retard, tu te souviens ? reprit Nicky. Je me dirigeais vers la voiture-bar et j'ai croisé Dimitri qui allait en sens OPPOSÉ. Il était très pressé, le nœud de la cravate défait, les cheveux tout ébouriffés… et il **BOITAIT** !

–Comme si quelqu'un lui avait marché sur le

pied… commenta Paulina.

– C'est ça ! acquiesça Nicky, l'air SÉRIEUX. Et il y a plus : j'étais au bar depuis quelques instants quand tout à coup le voilà qui entre, *parfaitement* coiffé, portant une autre tenue et marchant d'un pas **ASSURÉ** !

– Mais sa cabine est très loin de la voiture-bar, objecta Violet. Comment a-t-il pu se changer aussi VITE ?!

– Maintenant que vous m'y faites penser… intervint alors Pam, j'ai remarqué moi aussi une chose bizarre ! Au château, Dimitri a refusé le gâteau du chef Fromage en disant qu'il était allergique au chocolat. Or, au premier dîner ici, dans le train, je l'ai vu prendre une double ration de glace… au chocolat !

– Et la brûlure sur sa main ? s'exclama Colette.

Aujourd'hui, elle était de nouveau toute **ROUGE**.
Et toi, Nicky, quand tu l'as croisé dans le couloir,
te rappelles-tu si elle était rouge ?

Nicky plissa les yeux pour essayer de se souvenir puis répondit, sûre d'elle :

—Sa main allait très bien, elle était complètement guérie !

Dans la cabine, le SILENCE tomba.

QUE DIRIEZ-VOUS DE FAIRE LE POINT SUR LA SITUATION ?

Comment Dimitri fait-il pour être au même moment en deux endroits différents ? Récapitulons ensemble les indices :

—Le jour du départ, Dimitri compte cinq malles pour les bagages de Zelda, mais en réalité il y en a six.

—Le jeune secrétaire se brûle la main avec une tasse de tisane bouillante... mais la brûlure ne cesse de disparaître et réapparaître !

—Mimosa dit qu'elle a vu Dimitri le matin du vol du tableau, tandis que Zelda affirme qu'il est toujours resté avec elle dans sa cabine.

—Dimitri se comporte de façon étrange : d'abord il se déclare allergique au chocolat, puis il en mange ; d'abord il est décoiffé et ses vêtements sont en désordre, et quelques instants après le voilà parfaitement peigné et même... habillé différemment !

LA SIXIÈME MALLE

Les Téa Sisters se regardèrent avec stupéfaction :
c'était vraiment une *ÉTrange* succession d'indices !
– Il n'y a qu'une seule explication au fait qu'une
main soit tantôt **ROUGE** tantôt non, conclut Colette,
solennelle. C'est qu'il y a **DEUX** mains droites, et
donc… **DEUX** Dimitri !
– Deux Dimitri ? demanda Pam, perplexe. Tu veux
dire… des jumeaux ?
Colette acquiesça :
– Ou en tout cas deux personnes qui se ressemblent
assez pour qu'on puisse les confondre, si on les voit
séparément !
Paulina se **tapa** le front, s'étonnant de ne pas y
avoir pensé plus tôt.

S'IL Y A DEUX DIMITRI DANS LE TRAIN, TOUT S'EXPLIQUE ! L'UN DES JUMEAUX ÉTAIT AVEC ZELDA POUR TRANSCRIRE SES MÉMOIRES, TANDIS QUE L'AUTRE CROISAIT NICKY APRÈS S'ÊTRE FAIT ÉCRASER LE PIED PAR MIMOSA !

– Mais bien sûr ! s'écria-t-elle. De cette façon, Mimosa peut très bien avoir marché sur le pied d'un des jumeaux pendant que l'autre Dimitri était avec Zelda pour *écrire* ses mémoires !

Nicky n'était pas encore tout à fait convaincue :

– Mais la **NUIT** où le voleur a tenté de voler le Voile de Lumière, Dimitri se DISPUTAIT avec Pablo dans le couloir…

PENDANT QUE PABLO SE DISPUTE AVEC DIMITRI DANS LE COULOIR... LE JUMEAU DE DIMITRI TENTE DE DÉROBER LE VOILE DE LUMIÈRE !

– Il l'a fait exprès ! l'interrompit Pam. Vous vous souvenez de ce que disait Pablo ? Selon lui, c'était Dimitri qui avait commencé la **DISPUTE**, mais nous ne l'avons pas cru puisque c'était lui qui **CRIAIT** le plus fort. Mais Pablo disait la vérité : c'est Dimitri qui avait commencé, pour ATTIRER l'attention ailleurs, pendant que son jumeau essayait tranquillement de voler le Voile de Lumière !

– Tout est clair, maintenant ! acquiesça Paulina.

Et les autres vols du Voleur Acrobate deviennent eux aussi faciles à expliquer : personne n'est jamais arrivé à l'attraper parce qu'on cherchait une personne, alors qu'il y en avait deux ! En se montrant partout, Dimitri et son jumeau avaient toujours un alibi parfait, qui écartait les soupçons des enquêteurs.

Les filles restèrent quelques instants silencieuses. Elles avaient besoin de réfléchir sur cette incroyable découverte. Chacune d'elle repassait mentalement tous les détails : le mystère était-il vraiment éclairci ?

Restait encore à expliquer comment le jumeau de Dimitri avait pu monter à bord de l'**Orient-Express** sans être vu. Où s'était-il caché pendant le voyage ?

– Les malles ! s'exclama Paulina tout à coup, faisant TRESSAILLIR ses amies.

– Les malles ? demanda Violet.

Paulina hochait la tête :

– Les malles de Zelda qui ont été chargées sur le

train étaient au nombre de six, et non de cinq comme le disait Dimitri. J'en suis SÛRE, je les ai comptées ! Et je parie que la sixième **MALLE** se trouve à présent dans la cabine de Dimitri ! Voilà où son jumeau se cache !

COMME UNE
PARTIE D'ÉCHECS

Tout paraissait clair maintenant, mais Violet souleva une ultime objection :

– Au CHÂTEAU de Peles, il n'y avait qu'un seul jumeau. L'autre est forcément resté dans le train, pour ne pas être découvert. Il a eu toute la nuit pour ouvrir le coffre-fort et voler le tableau, or… il a attendu que nous soyons tous là pour le faire !

– Nom d'un piston GRIPPÉ ! s'exclama Paméla. C'est bizarre, en effet !

– Ça ne peut pas être un hasard ! observa Paulina. Le Voleur Acrobate ne laisse jamais rien au hasard.

Violet acquiesça et poursuivit sa pensée :

– Il est comme un joueur d'échecs. Chaque mouvement est étudié et a une raison.

Les paroles de Vivi firent naître devant les yeux des *filles* une image étonnante : le Voleur Acrobate et le **COMMISSAIRE** Peynir jouant une partie d'échecs !

Nicky, Colette, Paulina et Pam se **tournèrent** à l'unisson vers Violet pour avoir des éclaircissements : c'était elle l'experte des échecs, parmi les Téa Sisters ! Mais elle était trop concentrée pour s'en apercevoir. Dans son cerveau s'agitait toute une bataille de tours, de cavaliers, de rois et de reines !

Puis, brusquement, son visage s'éclaira.

– Mais bien sûr ! C'est évidemment une attaque à la découverte !

Les visages des Téa Sisters exprimèrent la confusion la plus totale.

– Que veut dire exactement «attaque à la découverte» ? demanda Paulina.

Violet expliqua :

– Tu bouges un pion en feignant une MENACE qui, en réalité, ne sert qu'à ouvrir la voie à une autre de tes pièces bien plus dangereuse. L'adversaire se concentre sur la perte immédiate et ne s'aperçoit pas que pendant ce temps tu prépares l'attaque fatale !

– Autrement dit, si j'ai bien compris… hasarda Colette d'une voix hésitante. Le Voleur Acrobate a volé le tableau pour distraire Peynir ?

– Exactement, acquiesça Violet avec conviction. Il l'oblige à enquêter sur un vol de moindre importance, pendant qu'il est libre d'attaquer à nouveau le Voile de Lumière !

Nicky bondit sur ses pieds comme un ressort.

– Mais alors, que faisons-nous ici ?! Courons avertir le commissaire ! Il n'y a pas une minute à perdre !

– Un moment ! la retint Colette. Il vaudrait mieux que deux d'entre nous gardent l'ŒIL sur le dernier wagon, où est le Voile de Lumière, pendant que les autres iront parler au commissaire.

Les filles se séparèrent donc, prêtes au défi final avec le voleur insaisissable. Nicky, Paulina et Paméla COURURENT avertir Peynir, tandis que Colette et Violet se dirigeaient tout excitées vers le wagon de queue.

UNE OMBRE SUR LE TOIT

Les filles se précipitèrent hors de la cabine.
Pendant qu'elle courait dans le couloir désert,
Nicky posa distraitement son regard sur le pay-
sage de l'autre côté de la vitre.

L'**Orient-Express**
traversait la vallée du
Danube, au paysage com-
plètement plat sous le soleil.
SOUDAIN, quelque chose
capta son attention, et
Nicky s'arrêta.

L'**ombre** du train en mouvement se détachait nette-

ment sur le sol le long des voies. Mais il y avait quelque chose d'autre…

– Les filles, REGARDEZ ! cria-t-elle. Faites demi-tour ! Je l'ai vu, il est là-haut !

Ce qui avait attiré son attention, c'était l'ombre de quelqu'un qui marchait… sur le toit du **train** !

– C'est lui ! C'est le Voleur **Acrobate** ! s'exclama Paméla.

–Qui d'autre que lui pourrait grimper sur le toit d'un train qui **ROULE** ? confirma Paulina.

–Il se dirige vers le wagon de queue… vers le Voile de Lumière ! nota Nicky. Il faut découvrir par où il est monté sur le toit !

Dans un des *petits* espaces entre deux wagons, les trois jeunes filles trouvèrent une trappe au plafond qui donnait accès au toit.

Elle n'était pas bien fermée : une **CORDE**

accrochée près de l'ouverture la maintenait entrouverte.

– Il est sorti par là ! dit Nicky à ses amies qui l'avaient suivie.

Puis, à Pam :

– Donne-moi un coup de main pour MONTER !

– Fais attention ! lui recommanda Paulina, préoccupée. Monter sur le toit d'un train qui roule, c'est très DANGEREUX !

– Je sais, Paulina, mais c'est une urgence ! Nous ne pouvons pas le laisser échapper ! Je suis SUPER-ENTRAÎNÉE, et je m'accrocherai à la corde qu'il a utilisée lui-même. Pendant que je le poursuis sur le toit, allez prévenir le commissaire…

– Je t'accompagne ! À deux, c'est mieux, proposa Pam, qui avait déjà croisé ses mains pour soutenir le poids de Nicky et l'aider à monter.

– Alors j'irai à la recherche de Peynir, consentit Paulina.

Mais vous deux, attendez-nous avant de faire quoi que ce so[...] ajouta-t-elle. Ne courez pas de risques !

Nicky était montée, et Pam se fit aider par Paulina afin de la rejoindre.

Il n'y avait pas de temps à perdre!

LA POURSUITE INFERNALE !

Nicky et Pam s'efforcèrent d'avancer avec la plus grande prudence.

Elles étaient effrayées, mais si elles n'agissaient pas tout de suite, le voleur s'enfuirait, et avec lui disparaîtrait la précieuse relique !

Dès que Pam eut passé la tête à l'extérieur, elle reçut comme une gifle le vent violent de la course.

Sur le moment, *elle* crut que sa tête allait s'envoler comme un ballon !

Près d'elle, heureusement, il y avait Nicky, la main tendue pour la tenir.

– Attrape la CORDE et reste baissée ! lui cria-t-elle.

Le sifflement du vent, joint au vacarme métallique

du train, était assourdissant et empêchait de se parler. Les deux filles demeuraient l'une près de l'autre, tentant de trouver le bon équilibre. Cela parut durer une éternité, mais elles finirent par réussir à bouger.

Nicky fit un premier pas. Puis un deuxième… et parvint enfin à trouver un certain RYTHME.

Elle avançait courbée et prudente, un pas après l'autre, vers la queue du train.

Elle n'osait pas **lever** la tête, de peur de perdre l'équilibre. Mais de cette façon, elle ne voyait pas plus loin que le bout de son nez !

Paméla la suivait, restant baissée elle aussi, un pas après l'autre : on aurait dit qu'elle **rampait** !

Au bout d'un moment, Nicky s'arrêta pour reprendre son souffle et examiner la situation.

Elle n'arrivait plus à **VOIR** le voleur. Le toit du train, devant elle, semblait **DÉSERT**.

– Oh non, il nous a échappé ! maugréa-t-elle, comme pour elle-même.

C'était sûr, le voleur était déjà entré dans le wagon de queue et posait en ce moment même ses sales **PATTES** sur le Voile de Lumière !

Et peut-être avait-il mis Youssouf hors de combat, comme il l'avait déjà fait avec l'autre garde…

Pourtant, il y avait une chose dont Nicky était sûre : le Voleur Acrobate ignorait qu'il avait été démasqué.

« Le facteur **surprise** est notre plus gros atout ! » se dit-elle alors d'un ton résolu. Puis elle pensa que

Violet et Colette, maintenant, devaient avoir rejoint le wagon de queue.

Elle rassembla donc tout son **courage** et reprit son avancée pénible, en dépit des secousses du **train**.

Bientôt, Pam et elle parvinrent jusqu'au toit du dernier wagon.

ON NE PASSE PAS !c

Pendant que Paulina courait chercher le commissaire, et que Nicky et Paméla tentaient de rejoindre le wagon de queue « par le haut », Colette et Violet arrivaient enfin devant la porte d'entrée de ce dernier.

Comme d'habitude, l'inamovible Youssouf était planté devant, ~~BARRANT~~ complètement le passage.

Les deux jeunes filles, hors d'haleine, l'implorèrent :

— Ouvrez la porte !

— S'il vous plaît ! Le voleur est à l'intérieur !

Youssouf, sourcils froncés, les regardait fixement.

–*On ne passe pas!* Wagon réservé au personnel. Il me semble vous l'avoir déjà dit, *mesdemoiselles*!

Colette fit appel à toute sa patience et expliqua, très *calmement* :

–C'est très important, monsieur Youssouf! Le voleur s'apprête à faire main basse sur le Voile de Lumière… nous en sommes certaines!

–Personne n'est entré par cette porte! répliqua le gardien, **IMPERTURBABLE**.

Alors Violet s'avança à son tour et dégaina son

arme imparable : un proverbe de GRAND-PÈRE
Tchen (à vrai dire, elle venait à peine de l'inven-
ter !) :

– Mon grand-père disait
toujours « Qui veut
faire bonne GARDE
garde les yeux sur
ce qu'il garde » !
Youssouf ne
bougea pas
un muscle.

– Ça veut dire qu'il faut
entrer dans le wagon pour VOIR si la robe est
toujours à sa place ! insista Colette, qui s'éner-
vait. Pendant que vous surveillez la porte, le
Voleur Acrobate est peut-être déjà entré par
la fenêtre ou je ne sais par où encore ! ajouta-
t-elle.

Les yeux de Youssouf bougèrent à peine vers le
bas, pour scruter les visages alarmés de ces deux
gamines bizarres qui insistaient tant.

Violet et Colette sentirent aussitôt se ranimer une flamme d'espoir : un doute allait-il entamer la **CUIRASSE** de ce géant ?

– Les ordres sont les ordres ! répondit cependant Youssouf, dont les yeux recommencèrent à fixer le **VIDE**.

Les deux *filles* soupirèrent, découragées : rien à faire !

MAGIE OU TECHNOLOGIE?

Pendant que Violet et Colette se mesuraient à cette sorte de muraille **INÉBRANLABLE** nommée Youssouf, Nicky et Paméla étaient arrivées sur le toit du dernier wagon.

– Je ne peux pas le croire! tressaillit Nicky. Toute une section du toit a été **DÉCOUPÉE** et enlevée!

– Il a ouvert le toit! s'exclama Pam.

– Oui... acquiesça Nicky, qui n'en croyait toujours pas ses **YEUX**. Comme une boîte de sardines! Mais comment a-t-il fait?!

La réponse était là, à côté d'elles.

Près de la tôle découpée se trouvait en effet une

petite boîte rouge, d'où sortait un tube terminé par un embout. Sur la boîte on pouvait lire :

«**AZOTE LIQUIDE**».

Nicky et Pam lurent aussi ce qui était marqué derrière.

– Un **générateur** d'azote liquide portatif à rayon laser ! Je ne savais pas qu'il en existait d'aussi petits !

– **WAOUH!** Haute technologie ! fit Paméla en écho. Ces petits bijoux coupent des tôles épaisses comme si c'était du beurre. Ce voleur n'est pas

seulement acrobate, il est également équipé d'une technologie de pointe !

Les deux filles se penchèrent prudemment pour regarder à l'intérieur.

Juste en dessous d'elles, un rat vêtu d'une combinaison noire ajustée et le visage caché sous une cagoule s'affairait autour de la vitrine qui ABRI-TAIT le Voile de Lumière.

– Ça pourrait être Dimitri, ou n'importe quel homme au physique sportif ! observa Nicky à mi-voix.

Si le voleur avait levé les YEUX, il aurait vu les deux visages des jeunes filles penchés sur l'ouverture.

Mais il était très occupé à passer un câble autour de la vitrine, et semblait très concentré. Cependant,

tout à coup, il entrevit leurs deux **silhouettes** dans un reflet sur la surface vitrée qu'il manipulait. Il SURSAUTA légèrement, sans en laisser voir davantage : il n'avait pas le temps de s'inquiéter pour deux petites fouineuses !

ET D'UN!

Paulina, pendant ce temps, avait remonté tout l'**Orient-Express** au pas de course, à la recherche du commissaire Peynir.

Il n'était pas dans la cabine de Mimosa.

À tous elle demanda s'ils l'avaient vu, mais nul ne put lui répondre. Jusqu'au moment où elle tomba sur... Dimitri, le SUSPECT numéro un!

La jeune fille s'arrêta d'instinct et regarda sa main: elle était ÉCARLATE!

Il s'enquit, avec gentillesse:

– Quelque chose ne va pas, mademoiselle? Vous avez l'air troublée.

Paulina tentait FÉBRILEMENT de réfléchir: le jumeau avec la main blessée était à quelques pas d'elle… au moment même où son frère était en train de voler le Voile de Lumière ! Que faire ?

– Je cherche le commissaire Peynir, finit-elle par dire, d'une voix un peu hésitante. C'est pour une affaire de la plus haute importance !

Dimitri la dévisagea et dit, d'un ton pensif :

– Je l'ai entendu dire qu'il allait voir le **COFFRE-FORT**. Vous permettez que je vous aide ?

Paulina s'agrippa au bras qu'il lui tendait, feignant d'être plus fatiguée qu'elle ne l'était : elle ne pouvait permettre qu'il s'échappe à son tour !

– C'est vrai, je n'ai plus de souffle… fit-elle en haletant. Et d'ailleurs, je ne me rappelle pas bien où est ce coffre-fort. Si vous aviez la *gentillesse* de m'accompagner…

Elle avait trouvé un prétexte pour retenir Dimitri près d'elle.

Ils trouvèrent le commissaire en grande discussion avec le chef de train. Ce fut alors que Paulina, rassemblant son courage, *POUSSA* Dimitri à l'intérieur du wagon, vers un Peynir ébahi. Puis,

sans reprendre sa **respiration**, elle expliqua :

–Nous avons vu le Voleur Acrobate qui courait sur le toit du train en direction du wagon de queue ! Nicky et Pam ont **COURU** derrière lui ! Je vous en supplie, venez avec moi… Mais d'abord arrêtez Dimitri : il est son **COMPLICE** !

TROP TARD!

Entre-temps, Nicky et Paméla s'inquiétaient. Pourquoi ne voyaient-elles toujours pas Colette et Violet faire *IRRUPTION* à l'intérieur du **wagon**?! Pour une semblable urgence, il était impensable que Youssouf ne les laisse pas passer. Et il restait bien peu de temps pour empêcher le voleur de s'*ENFUIR*!

– Je me demande comment il compte se sauver sans être découvert… dit Pam, pensive.

Nicky réfléchit:

– Les câbles servent sûrement à transporter la vitrine avec le Voile de Lumière, mais comment pense-t-il la faire sortir du wagon?

– Il pourrait y avoir un troisième complice qui

viendrait en **hélicoptère** pour l'emporter…
hasarda Pam, qui ne put s'empêcher de scruter le
ciel au loin.

Nicky **secoua** la tête :

–Non, je ne crois pas… mais nous n'avons pas le
temps de le découvrir ! Il va falloir descendre dans
le wagon, nous devons l'arrêter !

Aussitôt dit, aussitôt fait. **Agrippées** à la corde
que le Voleur Acrobate avait lui-même utilisée,
elles se laissèrent glisser à l'intérieur.

TUP… TUP…

Dès qu'il les vit atterrir sur le sol du wagon, le voleur eut un RICANEMENT amusé.

–Ha, Ha, Ha! Trop tard, mes petites! ironisat-il.

Pam et Nicky échangèrent un regard entendu: elles devaient gagner du temps, si elles ne voulaient pas que le scélérat s'échappe avec son précieux butin!

–Tu n'arriveras jamais à sortir la vitrine d'ici! dit Paméla, en MONTRANT le harnachement de câbles. Elle est bien trop lourde et volumineuse pour toi!

–Ah, tu crois ça? Ha, Ha, Ha! se remit-il à rire. Tu imagines que je vais la porter sur mon épaule?

«Vas-y, parle, explique-nous bien que tu es le plus fort, pensait Nicky. Tôt ou tard, Violet, Coco et Paulina seront là, avec ce *mastodonte* de Youssouf et le commissaire... et je serais curieuse de voir si tu riras encore!»

Le voleur montra les sangles du harnachement et un petit sac à dos.

LE PLAN DU VOLEUR ACROBATE

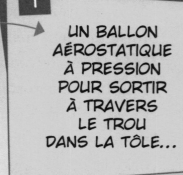

1

UN BALLON
AÉROSTATIQUE
À PRESSION
POUR SORTIR
À TRAVERS
LE TROU
DANS LA TÔLE...

2

... UN HARNACHEMENT
DE CÂBLES TRÈS
SOLIDE AUTOUR
DE LA VITRINE QUI
CONTIENT LE PRÉCIEUX
VÊTEMENT...

3

... ET LE VOLEUR
ACROBATE
ATTACHÉ DESSOUS,
PRÊT À S'ÉVANOUIR
DANS LE NÉANT!

– Vous croyez donc que le Voleur **Acrobate** utilise des moyens aussi minables ? **Ha, Ha, Ha!** Dans une minute, j'appuierai sur ce bouton et un ballon aérostatique à pression se gonflera et… le Voile de Lumière et moi, nous nous envolerons droit dans le ciel ! **Ha, Ha, Haaa!**

Nicky laissa échapper un gémissement : le Voleur Acrobate allait s'en sortir une fois de plus !

Quand soudain…

SBAMMM!

La porte s'ouvrit toute grande et une voix caverneuse retentit à l'intérieur du wagon :

– BAS LES PATTES !

Rira bien qui rira le dernier !

La masse menaçante de Youssouf se découpait à l'entrée du wagon, qui parut soudain plus petit. Violet et Colette se voyaient à peine, derrière le GARDIEN.

Le Voleur Acrobate, toutefois, ne semblait pas EFFRAYÉ, et n'hésita pas un instant.

–Tu arrives après coup, mon gros! fit-il d'un ton MOQUEUR.

Puis il s'agrippa fermement aux sangles entourant la vitrine, dont le harnachement était terminé. Aussitôt que le ballon se gonflerait, il s'**envole-rait** par l'ouverture dans le toit, avec son précieux butin! Ce qui arriva l'instant d'après, cependant, n'était pas *exactement* ce à quoi il s'attendait...

–Mais qu'est-ce que...? bredouilla-t-il alors, lâchant brusquement les **SANGLES** et perdant d'un coup toute sa superbe.

Puis il fit un bond en arrière, **HORRIFIÉ**, fixant la vitrine et son contenu.

À l'intérieur de l'enveloppe de verre, à la place du Voile de Lumière, il y avait... un vieux rat revêche, aux **épaisses** moustaches grises!

–Q-qui... Q-qu'est-ce que...? Je... je ne comprends pas! se mit à bafouiller le voleur, stupéfait.

Nicky et Pam profitèrent de cet instant d'étonnement pour se **LANCER** sur le voleur et le retenir. Nicky l'attrapa par un bras, tandis que Pam lui

BLOQUAIT la jambe après un placage digne de l'équipe nationale de rugby. Mais…

SVISSSH… SVISSSH…

… le voleur échappa à la prise, glissant comme une ANGUILLE !

En effet, sa combinaison était enduite d'une substance huileuse qui le rendait impossible à attraper. Ce fut alors qu'intervinrent Youssouf, Violet et Colette, qui jusque-là essayaient plutôt de comprendre ce que le voleur avait l'intention de faire avec cet étrange ÉQUIPEMENT.

Les grosses pattes du gardien, larges comme des pelles, s'apprêtaient à s'emparer du voleur, quand Violet et Colette tirèrent de toutes leurs forces sur le frein d'arrêt d'urgence du train.

SKRIIIIIIIIIEEEEEESCH!

L'Orient-Express trembla tout entier, eut une violente secousse et freina brutalement.

Youssouf perdit l'équilibre et tomba. Pendant ce temps, Paulina et le commissaire arrivaient à leur tour. Peynir SOURIAIT d'une drôle de manière, serrant dans sa main un petit objet qui ressemblait à... une télécommande!

Mais le Voleur Acrobate n'était plus là! Où était-il passé? Avait-il profité de cette grande CONFUSION pour s'échapper une fois de plus?

Paméla leva les yeux vers le plafond et vit le ciel bleu, mais nulle part de ballon.

– Il s'est *SAUVÉ* ? demanda-t-elle, paniquée. Quelqu'un a vu comment il a fait ?

Personne ne répondit.

Puis, tout à coup, on entendit un **gémissement**.

Paméla vit une main gantée de noir qui dépassait sous la masse énorme de Youssouf, étendu sur le sol, et elle éclata de rire :

– **Ha, Ha, Ha !** Pas d'acrobatie qui tienne contre Youssouf !

L'austère gardien esquissa un sourire.

Enfin !

DEUX VOLEURS EN UNᶜ

Le commissaire Peynir passa immédiatement les menottes au voleur, pour être bien sûr qu'il ne lui glisserait pas des mains dès que Youssouf se relèverait.

Les Téa Sisters se congratulèrent, *heureuses* et soulagées que tout se soit terminé pour le mieux.

–HUM! fit le commissaire, *toussotant* pour attirer leur attention. Je pense qu'il vous revient de nous apprendre qui est le voleur!

Et il désigna la cagoule qui recouvrait encore le visage du *scélérat*.

Les amies poussèrent en avant Colette, en affirmant avec assurance:

–À toi! S'il n'avait pas été brûlé à la main grâce à toi, nous n'aurions jamais compris!

La jeune fille s'approcha en hésitant de l'individu immobilisé et, d'un geste *léger*, lui ôta sa cagoule. Sous une masse de **cheveux** ébouriffés, les yeux du voleur étincelèrent, furieux.

Coco eut un SOURIRE ineffable et courtoisement lui dit :

– Je m'appelle Colette, et toi ?

– Léon ! MARMONNA le voleur de mauvaise grâce.

C'était la copie conforme de son frère Dimitri !

Il ne restait plus qu'un **mystère** à éclaircir : qui était donc le rat enfermé dans la vitrine ?!?

—C'est une projection ! expliqua le commissaire, avec un clin d'œil **complice**. Il s'agit de Malik Peynir Iᵉʳ, mon grand-père !

Enfin détendu, le visage du commissaire ressemblait à celui d'un *gamin* qui a fait une bonne farce.

—Une *petite* modification à mon plan B ! Je voulais faire croire au voleur que le Voile de Lumière était exposé dans ce wagon de queue gardé par Youssouf. En réalité, aussi bien ici que dans le salon d'*apparat*, il n'y a jamais eu que des projections parfaites de la robe.

—Et où est-elle, alors, la vraie ?! demanda Colette, interdite.

Tous fixaient le commissaire, attendant impatiemment la réponse.

—Elle est déjà à **ISTANBUL** ! Les deux fausses vitrines contiennent une image holographique qui reproduit parfaitement la robe et... MON

GRAND-PÈRE! Pour actionner la
projection, il suffit d'avoir cette télécommande!

Peynir appuya sur un ⓑⓞⓤⓣⓞⓝ et à
l'intérieur de la vitrine la robe de mariée réapparut.
– Pourtant, on croirait qu'elle est **VRaie**! s'écria
Pam, le nez collé à la vitre.
Peynir **appuya** de nouveau sur le bouton, et
l'image de son grand-père apparut à son tour.
– Vous voyez comme c'est facile? s'exclama-t-il,
tout content. Mon grand-père a consacré toute sa
vie à la recherche du Voile de Lumière... Je voulais
qu'il soit là lui aussi, d'une manière ou d'une autre,
pour la **CAPTURE** du Voleur Acrobate!

GRANDE FÊTE À TOPKAPIC!

Quand l'**Orient-Express** entra enfin dans la gare d'Istanbul, la nouvelle que le Voleur Acrobate avait été arrêté s'était déjà répandue sur **Internet**, puis sur les chaînes de télévision et dans les journaux du monde entier.

Le commissaire Peynir fut accueilli comme un héros, par une journée de célébrations en son honneur. Il voulut avoir les Téa Sisters avec lui, et les remercia publiquement pour leur précieuse collaboration à l'enquête.

Il remonta avec elles l'Istiklal Caddesi, l'artère principale d'Istanbul, décorée de drapeaux : les trottoirs étaient pleins d'une foule en joie, qui lançait des guirlandes et des pétales de ROSE !

Tous les passagers de l'Orient-Express partici-
pèrent aux *festivités*, et même Mimosa eut son
moment de gloire : c'était elle qui avait retrouvé le
tableau DISPARU de Tortilla de Cacos !

Encore secouée par son incroyable **AVENTURE**,
l'héritière s'était accordé une camomille au bar
de l'Orient-Express, avant l'arrivée à Istanbul.
Et c'était là qu'elle avait vu... un coin du tableau
dépasser derrière un canapé ! Quel soulagement
pour ce PAUVRE Pablo !

À la fin de la journée, dans une salle du musée de Topkapi, les invités de la soirée de gala attendaient avec **IMPATIENCE** de voir exposé le Voile de Lumière. Mais le temps passait, et toujours rien… Parmi les journalistes courait déjà le bruit que le précieux costume avait été volé encore une fois, quand les lumières s'éteignirent et un faisceau de

lumière éclaira la **GRANDE** terrasse à coupole d'or sur laquelle donnaient les salons.

Tous sortirent sur la terrasse et restèrent bouche bée de **SURPRISE**.

Tandis qu'une musique suave et mélancolique se répandait dans l'air, gracieuse et légère, Zelda Mitoff commença à **danser**. Elle portait le Voile de Lumière !

Violet fut émue jusqu'aux larmes : c'est l'effet que fait quelquefois la beauté !

Eliot Albany, le sympathique critique théâtral du **Washington Mouse**, expliqua :

– Exceptionnellement, Zelda a accepté de danser une dernière fois ce soir pour nous !

Pétunia glissa, perfide :

– Elle veut se faire pardonner parce que le Voleur Acrobate était son secrétaire !

– C'est inexact, la corrigea Paulina. Dimitri avait remplacé le vrai secrétaire, qui avait fait faux bond la veille du **départ**, sans avertir.

Mais ce fut Albany qui eut le dernier mot :

–En réalité, ce qui a convaincu Zelda, c'est l'enthousiasme d'une jeune détective, qui désirait tant la voir danser encore une fois !

Violet rougit jusqu'au bout de son petit nez et ses amies se serrèrent plus fort autour d'elle, heureuses de son BONHEUR.

Mieux que des amies. Des sœurs !

Téa Sisters

Istanbul*
La ville des deux continents

Posée sur les rives du Bosphore, Istanbul est une des villes les plus romantiques du monde !

Sa position géographique est très particulière, sans équivalent au monde : la ville s'étend en effet à la rencontre de deux continents, l'Europe et l'Asie. L'anse dans la mer de Marmara sur lequel donne le centre historique de la ville est appelée la «Corne d'Or», à cause des reflets dorés du soleil sur ses eaux au couchant.

Les poètes d'orient comme d'occident ont chanté les beautés de cette cité splendide, ville de culture et d'enchantement.

Istanbul fut la capitale de trois empires : l'empire grec, l'empire romain d'Orient et l'empire ottoman.
Chacun de ces empires la nomma différemment.

Byzance

Constantinopl

Istanbul

Son premier nom fut **Byzance**, du nom du commandant grec Bazas, qui fonda la ville en 667 avant J.-C.
Le deuxième fut **Constantinople**, du nom de l'empereur romain Constantin qui, en 330 après J.-C., la préféra comme capitale à Rome.
En 1453, la ville fut conquise par les Ottomans, qui l'appelèrent **Istanbul**, ce qui signifierait, selon certains, « à la ville » ou « dans la ville ».

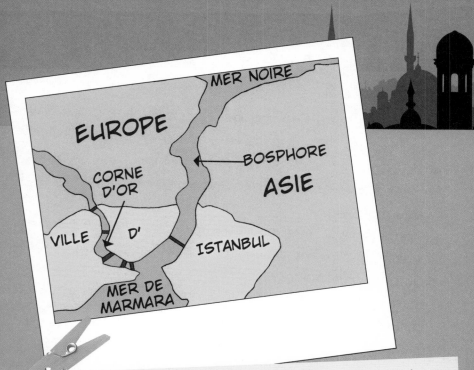

La particularité de la ville d'Istanbul est d'appartenir à deux continents !
Elle s'étend en effet le long des rives du **Bosphore**, le détroit qui sépare l'Europe de l'Asie et qui unit la mer Noire à la mer de Marmara. La ville compte de nombreux ponts, qui réunissent les différents quartiers.

* En 1502, le grand **Léonard de Vinci** dessina le projet d'un po
qui relierait les deux rives de la Corne d'Or entre Constantino
et Péra (qui fait aujourd'hui partie d'Istanbul). Ce pont aurait
long de 360 mètres, large de 24 et haut de 40 mètres au-dessus
niveau de la mer !

Le pont ne fut jamais construit, mais le projet de Léonard é
si viable qu'il servit de modèle en 2002 pour la construct
d'un pont piétonnier dans la ville d'**Oslo**. Le pont norvégien
cependant plus petit que le projet original : il a été réalisé à l'éch
réduite !

* La célèbre **tour de Galata**, d'où l'on a une vue à couper
souffle sur la ville, fut construite par les Génois en 1348.
Galata, qui est aujourd'hui un quartier d'Istanbul, était ur
colonie génoise, du temps de la République de Gênes.

* La république de Turquie fut fondée le 29 octobre 1923 p
Mustapha Kemal, dit **Atatürk** («père des Turcs»). Sa devis
était : «Paix dans la maison, paix dans le monde !»

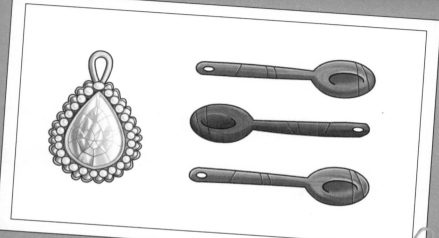

Parmi tous les chefs-d'œuvre et les joyaux conservés dans le **musée de Topkapi** se trouve aussi le célèbre diamant dit du «Fabricant de cuillères», serti d'argent et entouré de deux rangs de diamants plus petits.

Cette pierre précieuse au nom si étrange est un diamant blanc en forme de goutte de **86 carats**: c'est le cinquième au monde par sa taille!

Selon une légende, il fut retrouvé par un pêcheur parmi des objets échoués sur le rivage. Le pêcheur, ne sachant pas ce qu'il avait entre les mains, imagina que c'était une pierre sans valeur et la céda à un fabricant de cuillères en échange de... **trois cuillères en bois**!

Et ce nom lui est resté.

SHOPPING AU GRAND BAZAR !

Istanbul est une vraie mine d'or pour ceux qui aiment faire d[u] shopping : dans les ruelles animées du **Kapali Çarsi**, le march[é] couvert, connu aussi sous le nom de «**Grand Bazar**», on trouv[e] des épices, des livres anciens, des tapis, des objets d'artisana[t], des bijoux et quantité de choses surprenantes. Et n'oubliez pas[:] tout le plaisir est de marchander !

Pour les antiquités de valeur, il faut se rendre au cœur du Baza[r], le **Iç Bedesten**, ou «vieux Bedesten». Bedesten est un mot q[ui] vient de l'arabe **bezzaz** («vendeur de tissus»).
Depuis l'Antiquité, on trouve dans cette partie du Bazar de[s] tissus précieux, des objets anciens et les bijoux les plus raffiné[s,] production des artisans locaux.

Si vous êtes passionnés de tapis, il vous faut vous aventurer dans les échoppes de la **Halicilar Carsisi Cad** (littéralement «rue des vendeurs de tapis»). Là, vous pourrez trouver les précieux kilims, ces tapis traditionnels brodés à plat (au lieu d'être noués comme les autres tapis).

Ceux qui aiment la lecture ne doivent absolument pas oublier de faire une promenade dans le **Sahaflar Çarsisi**, le marché occupé par les vendeurs de livres depuis l'époque byzantine !

Le **Grand Bazar** est le plus grand marché couvert du monde et il occupe à lui seul un quartier entier d'Istanbul !

Il fut créé par le sultan **Mehmet II**, en 1453, mais sa structure a changé plusieurs fois au cours des siècles du fait des agrandissements et des reconstructions.

Autrefois, les rues portaient toutes le nom d'une corporation d'artisans, mais aujourd'hui seules quelques catégories ont gardé un emplacement réservé.

À Istanbul, il y a aussi d'autres marchés permanents ou périodiques. Par exemple, le **marché aux puces d'Ortaköy**, qui a lieu tous les dimanches, ou le marché du mercredi près de la mosquée de Fatih (**Macar Kardesler Cad**), où vous pourrez trouver des fruits et des légumes, des produits frais, des bulbes et des graines mais aussi des outils et de la quincaillerie en tout genre !

ET MAINTENANT...
JOUONS !

Si vous êtes fatiguées de tant de shopping, il ne vous reste p
qu'à vous installer dans une des nombreuses pâtisseries d'Istanb
chaudes et accueillantes, elles sont célèbres aussi par la préser
de jeux de table, qui sont pour les Turcs une vraie passion !

Le jeu le plus populaire de tous, au point de mériter le
titre de jeu national turc, est la **tavla**, dont les règles sont
très semblables à celles du *backgammon* ou du jacquet.
Un jeu très ancien qui est aussi très prenant !

Voici les règles de la *tavla* :
On joue à deux, et les joueurs
disposent d'un plateau de jeu
unique divisé en deux parties,
sur lesquelles sont dessinés
des triangles (ou «flèches»)
de deux couleurs différentes.

Chaque joueur doit essayer de faire passer tous les pions c
sa couleur dans son propre tableau (appelé «maison») puis l
faire sortir du plateau de jeu, en suivant un parcours numéro
auquel correspondent les flèches de couleur.
Pour faire avancer les pions, on tire deux dés, mais le parcou
est semé d'embûches, car les pions peuvent être... mangé

Téa Sisters

JOURNAL à dix pattes!

OÙ SE TROUVENT-ILS MAINTENANT?

KLAUS ET ROXANNE

TIGER ET ANGIE

FROMAGE

ZELDA ET ALBANY

Où se trouvent à présent les personnages que nous avons rencontrés pendant ce voyage extraordinaire ? Regarde attentivement ci-dessous les photos que j'ai prises, et essaie de le deviner !

PABLO ET MIMOSA

FIORENZA

YOUSSOUF ET PEYNIR

CLAUDE ET LE CHEF DE TRAIN

BIENVENUE À BUCAREST

Les solutions sont à la page suivante.

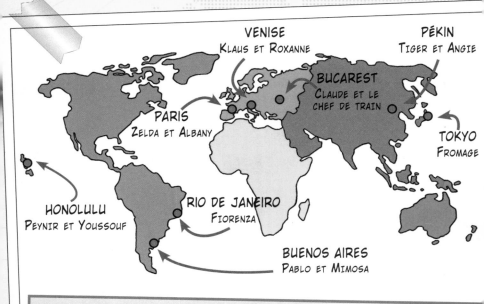

VENISE
KLAUS ET ROXANNE

PÉKIN
TIGER ET ANGIE

BUCAREST
CLAUDE ET LE
CHEF DE TRAIN

PARIS
ZELDA ET ALBANY

TOKYO
FROMAGE

HONOLULU
PEYNIR ET YOUSSOUF

RIO DE JANEIRO
FIORENZA

BUENOS AIRES
PABLO ET MIMOSA

SOLUTION DU JEU
OÙ SE TROUVENT-ILS MAINTENANT ?

1) **Klaus** et **Roxanne** ont découvert l'amour dans l'Orient-Expre
et sont maintenant à Venise.

2) **Tiger** et **Angie** sont en tournée à Pékin.

3) **Mimosa** apprend à danser le tango argentin, et c'est **Pabl**
maintenant qui fait tapisserie !

4) Le **commissaire Peynir** a pris des vacances méritées à Haw
et **Youssouf** a tenu à l'accompagner comme garde du corps.

5) **Claude** et **le chef de train** ne quitteront jamais l'Orient-Express
qu'ils considèrent comme leur maison !

6) **Fiorenza** a ouvert une buvette à Rio de Janeiro, où elle ven
ses cocktails de fruits !

7) **Zelda** et **Albany** sont devenus inséparables et fréquenten
assidûment les plus grands théâtres du monde. Aujourd'hui il
sont à l'Opéra de Paris !

8) **Fromage** est au Japon pour un stage de préparation des sushi

JEU
LES DIFFÉRENCES

E VOLEUR ACROBATE N'ÉTAIT PAS UNE PERSONNE MAIS
DEUX, DEUX VRAIS JUMEAUX : DIMITRI ET LÉON !
SUR CES IMAGES, LES DEUX SCÉLÉRATS NE SONT PAS
TOUT À FAIT IDENTIQUES : ILS SE DIFFÉRENCIENT PAR
QUELQUES DÉTAILS, AU NOMBRE DE SIX.
SAURAS-TU LES TROUVER ?

Les solutions sont à la page 215.

Mes meilleures ♥ amies

J'ai fait un cadeau à mes meilleures amies ! Cinq colliers avec u
pendentif d'une forme un peu bizarre : sur chacun est écrit un d
leurs noms et ensemble ils dessinent... un cœur !

*SI TU RÉUNIS LES PENDENTIFS,
TU OBTIENDRAS UN CŒUR !
LE CŒUR DES TÉA SISTERS !*

Veux-tu en faire un toi aussi ?
Tu peux utiliser différents ma
riaux, comme de la pâte de
ou du carton. Mais pour qu
soit beau et dure longtemps, je
conseille d'utiliser les argiles po
mères qu'on trouve dans les ma
sins de travaux manuels et lois
créatifs. Tu y trouveras égaleme
les outils en plastique pour modeler et découper ton penden
Mais rappelle-toi : fais-toi toujours aider par un adulte !

PHASE 1

Étends une couche d'argile un peu épaisse et découpe un cœur en te servant d'un couteau en plastique.

Fais-le suffisamment grand, car tu devras le diviser.

PHASE 2

Découpe ensuite le cœur en autant de morceaux que tu as d'amies proches et n'oublie pas d'en faire un pour toi. Avec un bâtonnet, fais un trou dans chacune de ces parties, par lequel tu devras passer ensuite un cordon.

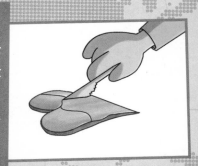

PHASE 3

Place les morceaux ainsi obtenus dans un four à 130 °C pendant environ 15 minutes (lis bien les instructions avant sur le paquet !). Laisse-les refroidir avant de les polir avec du papier de verre.

Écris sur chacun des morceaux le nom d'une amie à la peinture à l'eau ou à l'acrylique.

Passe un ruban ou un cordon ou une petite chaîne à travers le trou… Et voilà !

Les fabuleuses «années folles»

Me déguiser a toujours été mon occupation préférée ! Julie et moi nous jouions à nous transformer en princesses avec une simple cape, un morceau de tissu brillant, un chapeau...

La tenue de danseuse de «charleston» nous plaisait beaucoup...

Essaie-la toi aussi !

QUE FAUT-IL ?

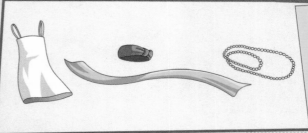

1. Une tunique ou une robe droite.

2. Une longue écharpe et un bandeau pour les cheveux, si possible de la même couleur.

3. Le collier le plus long que tu pourras trouver.

COMMENT FAIT-ON ?

Enfile la robe. Passe l'écharpe autour de tes hanches. Noue l'écharpe avec un joli nœud sur le côté. Place le bandeau assez bas sur ton front. Enfile le collier en y faisant un nœud tout en bas. Tu es prête !

Le **charleston** est une des danses les plus gaies et les plus amusantes que je connaisse. Comment le danse-t-on ?

Fais pivoter tes genoux et la pointe de tes pieds vers l'intérieur. Fais bouger tes jambes d'avant en arrière, puis lance vers l'extérieur d'abord un pied puis l'autre. En même temps, bouge tes bras et tes mains comme sur l'image ci-dessous. Le tout en musique et en rythme, évidemment !

VIVE
LE CHARLESTON !

LE MENU DU GRAND CHEF FROMAGE !

Menu
Soupe aux châtaignes
Tartare d'avocat et tomates
Épinards à la crème
Chicons avec vinaigrette
Glace à la crème Chantilly
Profiteroles au chocolat

SOUPE AUX CHÂTAIGNES

INGRÉDIENTS : 500 g de châtaignes ; 1 bon litre de bouillon végétal ; 1 oignon ; 1 pomme de terre ; 2 brins de romarin (ou du thym) ; 4 beaux cèpes ; 1 gousse d'ail ; sel ; poivre ; huile.

PRÉPARATION : Fends la bogue des châtaignes et mets-les dans l'eau bouillante pendant 20 minutes avec du sel et un brin de romarin. Enlève-les de l'eau tout doucement, une à une, sans te brûler ! Puis épluche-les.

Hache l'oignon, épluche la pomme de terre et coupe-la en petits dés puis fais revenir le tout quelques minutes dans une casserole avec un peu d'huile. Ajoute alors les châtaignes, le second brin de romarin (ou de thym), puis le bouillon.

Laisse cuire la soupe environ 40 minutes.

Pendant ce temps, nettoie les cèpes, mets de côté les chapeaux et coupe le reste en petits dés. Fais-les sauter dans la poêle avec de l'huile et la gousse d'ail. Ajoute du sel et du poivre et garde le tout au chaud.

Quand les châtaignes sont prêtes, enlève le romarin et passe la soupe au mixer.

Puis remets-la sur le feu (en ajoutant un peu de bouillon si elle est trop épaisse).

Quand elle est chaude, verse-la dans une assiette creuse. Ajoute au milieu deux cuillerées de cèpes sautés et par-dessus les chapeaux des champignons crus et coupés en lamelles, avec un filet d'huile.

Et voici le menu du fantasouristique dîner au château de Peles !
Veux-tu recréer, chez toi aussi, les goûts et les saveurs de l'Orient-Express ?
Je vais t'apprendre mes deux plats préférés !

ATTENTION !
Pour cuisiner, demande toujours l'aide d'un adulte !

PROFITEROLES AU CHOCOLAT

INGRÉDIENTS : 100 g de chocolat à fondant, 30 petits choux (ou des chouquettes dont on enlève les grains de sucre), 3 œufs, ½ litre de lait, 3 cuillerées de sucre, 1 cuillerée de farine, ½ litre de crème fouettée sucrée.

PRÉPARATION : Fais fondre le chocolat au bain-marie. Verse les jaunes d'œuf dans une petite casserole avec le sucre et bats le mélange à la fourchette.

Ajoute la farine puis le lait peu à peu, et mélange en veillant à ce que des grumeaux ne se forment pas.

Pose alors la casserole sur le feu et chauffe cette pâte jusqu'à la faire bouillir, en mélangeant toujours énergiquement.

Quand elle commence à épaissir, laisse-la encore cuire 2 à 3 minutes, sans cesser de remuer.

Enlève la casserole du feu, ajoute le chocolat fondu chaud et mélange encore. Pendant que le mélange refroidit, pratique une incision à la base des choux. Puis mets la crème fouettée dans une poche de pâtissier et remplis les petits choux l'un après l'autre. Dispose en pyramide les petits choux une fois remplis puis verse sur le tout le mélange au chocolat qui a refroidi.

Décore la pyramide à ton goût et... BON APPÉTIT !

TEST!

QUELLE VOYAGEUSE ES-TU

Quand tu as fini tes devoirs, que préfères-tu faire ?

A. Regarder tranquillement la télévision.
B. Retrouver tes amies.
C. Sortir aussitôt de la maison !

DÉPART

Tu vas passer le week-end au bord de la mer Qu'emportes-tu ?

A. Tes CD et tes livres préférés.
B. Des tenues et vêtement à porter là-bas.
C. Un ballon de volley.

Quelle est ta réaction en cas de contretemps ?

A. Tu respires à fond pour contrôler tes réactions.
B. Tu ne supportes plus personne, même pas tes meilleures amies.
C. Cela t'amuserait presque !

Face à un problèm difficile, comment comportes-tu ?

A. Tu l'affrontes avec sérénité.
B. Tu cherches un moyen de le contourner.
C. Tu essaies de le résoudr le plus vite possible, pou ne plus y penser.

Auquel de ces animaux t'identifies-tu le plus ?

A. Chat.
B. Paon.
C. Cheval.

Majorité de réponses A

Tu es réfléchie mais également un peu sédentaire. Tu aimes voyager, mais sans te presser et avec tout le confort. Le train est l'idéal pour toi, parce qu'il te permet de profiter du paysage par la fenêtre ou bien de te plonger dans la lecture d'un livre.

Majorité de réponses B

Tu as un sens inné de l'élégance et tu aimes t'entourer de personnes intéressantes et d'admirateurs. Pour toi, voyager signifie surtout faire de nouvelles rencontres. Un bateau de croisière serait le décor idéal pour toi !

Majorité de réponses C

Tu piaffes comme un cheval mais tu sais aussi prendre la vie et ses contretemps avec allégresse. Pour toi, le voyage idéal est celui qui dure peu et qui te permet d'arriver à destination le plus vite possible. Quoi de mieux que l'avion ?

Au fond de la malle de Julie, j'ai trouvé une grande quantité de perruques ! Blondes, rousses, brunes, châtain, et même blanches… Et chaque perruque est coiffée de façon à rappeler une époque bien précise.

Mais quel désordre ! Peux-tu m'aider à les ranger ?

Il suffit d'attribuer chaque perruque à son époque !

A

1) ÉGYPTE ANCIENNE

2) ROME ANTIQUE

3) MOYEN ÂGE

4) XVIIIᵉ SIÈCLE

5) BELLE ÉPOQUE

6) ANNÉES 1920

7) ANNÉES 1950

8) ANNÉES 1960

B

Les solutions sont à la page 214.

UN TRAIN CHARGÉ DE...

As-tu déjà joué à «**Un train chargé de...**»?

Je suis sûre que oui, mais si tu ne connais pas ce jeu, je vais te l'expliquer en quelques mots. Les participants sont assis en rond et l'un d'eux (tiré au sort) dit: «On annonce l'entrée en gare d'un train chargé de C...!» Les autres doivent alors dirent tous les noms de choses qui commencent par la lettre C: cerises! Clous! Cacahuètes!

On continue, jusqu'à ce que quelqu'un ait deviné.

Maria, ma petite sœur, adorait jouer à ce jeu quand elle était petite. Alors, pour lui rappeler de bons souvenirs, j'ai réalisé pour elle un petit tableau qui évoque ce jeu. Le voici! Tu aimes?

Si tu veux, je peux t'apprendre à le faire!

CE QU'IL TE FAUT:

1) Un cadre tout prêt comme on en trouve dans les grandes surfaces.
2) Une feuille de papier rigide bleue et une verte.
3) Des chutes de tissu de toutes les couleurs.
4) De la colle vinylique.
5) Du papier quadrillé.
6) Des petits ciseaux à bout rond (pour couper, fais-toi toujours aider par un adulte!).

COMMENT FAIT-ON?

a) Découpe dans les feuilles de carton vert et bleu des bandes ondulées.
b) Colle ces bandes ondulées sur le fond du tableau de manière à former un paysage avec collines.
c) Dessine au crayon quelques touffes d'herbe et des nuages.
d) Écris tout en haut, au feutre, la formule:

« Un train chargé de... entre en gare... »

Pour découvrir comment faire le petit train, tourne la page!

Comment faire le petit train ?

1. Reporte sur la feuille quadrillée (ou photocopie) les parties qui composent le train, en les recopiant tout en les agrandissant à partir des schémas de la page ci-contre.

2. Découpe chaque morceau, pose-le sur le tissu et sers-t'en comme modèle pour dessiner la silhouette à découper.

3. Découpe les formes de tissu puis form la locomotive et les wagons comm dans le dessin. Mets côte à côte d couleurs qui contrastent, pour obter un effet plus gai.

4. Dans les wagons, mets les objets que veux, à ta fantaisie, à condition que le formes soient faciles à découper.

5. Colle chaque morceau dans le tableau Mais attend que chacun soit sec avar d'en coller un autre dessus !

JEUX

LA COMBINAISON

Es-tu capable de compléter la combinaison du coffre-fort ?
Rappelle-toi que la somme des nombres doit toujours être 21, aussi bien dans les lignes que dans les colonnes.

Dans la corbeille à papier près du coffre-fort, le voleur a trouvé un bout de papier déchiré en plusieurs morceaux. Il a essayé de le reconstituer, pensant y trouver la combinaison. Mais une fois recomposé, il l'a jeté à nouveau dans la corbeille et il est parti. Veux-tu savoir pourquoi ?
Reconstitue à ton tour le billet mystérieux !

NOU · N FA · E · DEC

ES · LAR · MES · ITE

S SOM · ILL

Les solutions se trouvent aux pages 214 et 215.

La phrase cachée!

Efface les noms des personnages que nous avons rencontrés dans l'aventure de l'Orient-Express : les lettres restantes te révéleront une phrase cachée !

F	I	O	R	E	N	Z	A	V	I	P	V	I	T
R	R	C	O	R	I	N	Y	E	P	E	L	E	I
T	O	O	A	L	B	A	N	Y	I	T	P	T	G
E	N	X	M	I	D	C	K	L	Y	U	A	E	E
P	A	M	A	A	P	I	U	A	U	N	B	D	R
M	L	I	L	N	G	J	M	N	A	I	L	U	E
R	I	E	V	I	N	E	V	I	E	A	O	A	I
O	O	M	L	E	S	E	C	I	T	N	Q	L	G
N	T	Y	O	U	S	S	O	U	F	R	E	C	N
D	A	S	I	S	U	A	L	K	S	T	I	E	A
A	R	S	N	I	A	R	T	E	D	F	E	H	C

ALBANY	JULIE	PEYNIR
ANGIE	KLAUS	RONDA
CHEF DE TRAIN	LEON	ROXANNE
CLAUDE	FIORENZA	PETUNIA
DIMITRI	MIMOSA	TIGER
FROMAGE	PABLO	YOUSSOUF

La solution est à la page 215.

Voilà donc où était caché le tableau de Pablo Tortilla !
Le voleur l'avait simplement glissé derrière le dossier
d'un divan de la voiture-bar !
Et toi ? L'avais-tu trouvé ?

VOU'S SOM MES DEC LAR ES E N FA ILL ITE !

NOUS SOMMES
DÉCLARÉS EN
FAILLITE!

SOLUTION DE
À COMBINAISON
(PAGE 210)

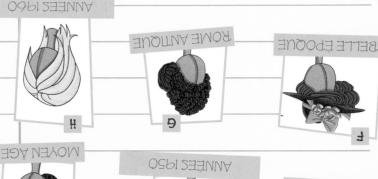

ANNÉES 1960

H

ROME ANTIQUE

G

BELLE ÉPOQUE

F

MOYEN ÂGE

E

ANNÉES 1950

D

ANNÉES 1920

C

ÉGYPTE ANCIENNE

B

XVIIIᵉ SIÈCLE

A

SOLUTIONS DE
Cheveux
pour chaque
saison
(PAGES 204-205)

Solutions!

SOLUTIONS DE
LES DIFFÉRENCES
(PAGE 195)

SOLUTION DE
LA COMBINAISON
(PAGE 210)

4 9 8
11 7 3
6 5 10

Oui, Colette, Nicky, Pam, Paulina... Vive les cinq Téa Sisters !

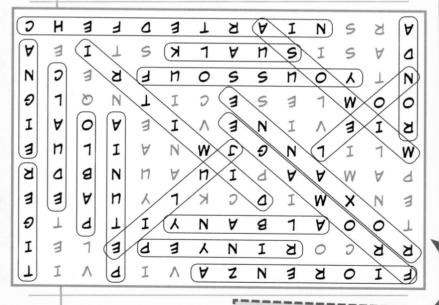

SOLUTION DE
La phrase cachée !
(PAGE 211)

TABLE DES MATIÈRES

DANS LA MÊME COLLECTION

Et aussi...

Hors-série
Le Prince de l'Atlantide

ÎLE
DES BALEINES

L'île des Baleines

1. Pic du Faucon
2. Observatoire astronomique
3. Mont Ébouleux
4. Installations photovoltaïques pour l'énergie solaire
5. Plaine du Bouc
6. Pointe Ventue
7. Plage des Tortues
8. Plage Plageuse
9. Collège de Raxford
10. Rivière Bernicle
11. *L'Antique Cancoillotterie,* restaurant et siège des *Messageries Ratiques – Transports maritimes*
12. Port
13. Maison des Calamars
14. *Zanzibazar*
15. Baie des Papillons
16. Pointe de la Moule
17. Rocher du Phare
18. Rochers du Cormoran
19. Forêt des Rossignols
20. Villa Marée, laboratoire de biologie marine
21. Forêt des Faucons
22. Grotte du Vent
23. Grotte du Phoque
24. Récif des Mouettes
25. Plage des Ânons

Au revoir,
à la prochaine aventure !